# SERENA DANDINI

* * * * *

## Dai diamanti
## non nasce niente

### Storie di vita e di giardini

Rizzoli

*Proprietà letteraria riservata*

*© 2011 RCS Libri S.p.A., Milano*

*ISBN 978-88-17-04867-5*

*Prima edizione: maggio 2011*

*Seconda edizione: maggio 2011*

*Terza edizione: maggio 2011*

*Quarta edizione: maggio 2011*

*Quinta edizione: maggio 2011*

*Sesta edizione: maggio 2011*

*Settima edizione: maggio 2011*

L'autrice e l'editore ringraziano Dori Ghezzi e la Fondazione Fabrizio De André Onlus
per averci concesso le tavole autografe di Fabrizio De André alle pagg. 304 e 305

Collages di Andrea Pistacchi

Progetto grafico: theWorld*of*DOT

Impaginazione: Davide Vincenti

Realizzazione editoriale: Gianluca Bavagnoli
Andrea Canzanella, Alessandra Cerizza,
Daria Figari, Marina Mercuriali, Chiara Ratti, Patrizia Segre,
Simona Severini, Francesca Vezzoli.

# Dai diamanti
## non nasce niente

λ

*a Adele e Lele,*
*vittime privilegiate dei miei giardini.*

# INTRODUZIONE

* * * * *

"*Encore verdure*" sibilò la scrittrice George Sand in punto di morte. Con la mia ignoranza, pensavo che desiderasse mangiare una ratatouille di zucchine o qualche altra primizia dell'orto, un ultimo capriccio prima di lasciare le terrene spoglie per l'aldilà. E invece la storia era completamente diversa.

La traduzione del termine francese *verdure* è ricca di possibilità: vegetazione, verde, paesaggio naturale e – perché no? – anche verdura in senso gastronomico. La scrittrice, quindi, invocava un verde paesaggio su cui posare il suo ultimo sguardo, magari l'amato giardino parigino di rue Chaptal, dove ascoltava Chopin suonare solo per lei e per pochi altri ospiti di casa Scheffer.

Molti, a differenza di George Sand, continuano ad amare le strade trafficate di Parigi, di Roma o di dove sia, i bar affollati e quella giusta dose di stimoli e confusione che fa di noi degli esseri perfettamente metropolitani. Ma la *verdure* ci chiama, e c'è qualcosa di nuovo oggi nell'aria se addirittura si scomodano fior di filosofi, politologi ed economisti per spiegarcelo. Si parte sempre dall'11 settembre, la guerra in Iraq, la crisi economica, la marea nera della BP, la debolezza dell'euro, ah – dimenticavo – il crollo del muro, il comunismo morto e sepolto, il capitalismo malato grave e le guerre ormai permanenti in mezzo pianeta, tanto da non ricordarci più chi è contro chi e soprattutto perché. Tutto è confuso, a parte le ragioni economiche dei soliti ignoti che su questo elenco di disgrazie ci guadagnano sempre.

Diciamo che, per il momento, i buoni non hanno vinto, e la conseguenza è un'instabilità emotiva planetaria; per farla breve, un break down mondiale che ci ha trascinato dritti dritti verso depressione, povertà e forte nervosismo. L'angoscia per il futuro ci ha rinchiuso nella tana del presente; deleghiamo agli altri la conduzione del mondo che non comprendiamo più e viviamo alla giornata coltivando svariate paure, sollecitate peraltro dai governi interessati a tenerci buoni. In poche parole: sguardo basso e ansia diffusa per tutti. Ed è qui che entra in scena la *verdure*. Che ci insegna, a piccole dosi come una cura omeopatica, a riallargare l'orizzonte.

Per sua natura il giardiniere è proiettato in avanti, almeno fino alla prossima fioritura: sa aspettare e progettare, deve avere fiducia e intravedere un poi, un domani, un non ancora... E quale esercizio mentale è più necessario di questo, per noi poveri terrestri che abbiamo perso per sempre il paradiso perduto?

Ora non voglio insinuare che questo sia un libro politico; ma se il privato lo è, perché non può esserlo anche il giardinaggio? È una lettura dedicata a chi voleva cambiare il mondo e invece si è accorto che è stato il mondo a cambiargli i connotati. A tutti coloro che non desistono e, in mancanza d'altro, cercano di migliorare il perimetro del loro balconcino. Forse finora abbiamo pensato troppo in grande, dovevamo iniziare dal geranio di casa e invece l'abbiamo lasciato morire.

Ma è arrivato il tempo di riparare. Davanzali di tutto il mondo unitevi e cambiate l'aspetto delle vostre città! Uno slogan che potrebbe diventare anche il grido di battaglia per tutti gli attivisti verdi che vogliono contrastare il degrado urbano, come i "guerrilla gardeners", che nottetempo mitragliano di semi piazzole e rondò umiliati da alberi di lattine e fioriture di plastica, o il "social gardening": collettivi cittadini che occupano zone incolte delle città e le trasformano in lussureggianti spazi verdi per la gioia di tutto il quartiere.

Questi creativi del giardinaggio si collegano idealmente alle teorie del "Terzo paesaggio" del filosofo Gilles Clément,[1] che ha descritto il mondo trascurato degli spazi periferici come un Terzo stato che deve risorgere e ribellarsi alle aiuole private e benestanti abitate da ibridi senz'anima.

Recita un antico proverbio cinese: "Chi pianta un giardino semina la felicità". E Cicerone, nonostante la sua austerità, dichiarava: "Se possedete una biblioteca e un giardino avete tutto quel che vi serve".[2] Certo, all'epoca non avevano ancora inventato l'iPad e lo schermo al plasma ultrapiatto, ma il messaggio ci arriva forte e chiaro: questo verde ci è necessario come una cura. Non a caso Voltaire conclude il suo *Candido* con l'esortazione: "Bisogna coltivare il nostro giardino".[3]

Il giardino non è solo un appezzamento dietro casa, ma una metafora ad ampio spettro che coinvolge il mondo che ci circonda. Se impareremo ad avere cura delle nostre piantine, sarà più facile coltivare i nostri sogni: dedicarci con attenzione e passione a qualcosa ci aiuta a tirar fuori i nostri istinti migliori. "La bellezza salverà il mondo" ci ricorda Dostoevskij.[4] Be', dando uno sguardo al nostro pianeta, a occhio e croce dovremmo essere spacciati. Ma se ci pensate bene, ogni volta che ci troviamo in presenza di luoghi incantati, natura incontaminata, di opere d'arte, poesia e musica sublime siamo tutti più buoni, ci sentiamo finalmente placati e felici, fieri di appartenere al genere umano. Una lunga fila ordinata di persone in attesa sotto un sole cocente per andare a vedere le serre restaurate del Jardin des Plantes di Parigi fa ben sperare sui destini dell'umanità.

*Dai diamanti non nasce niente*:

\* è il racconto della mia personale storia d'amore, a volte contrastata, con la natura, le piante e i giardini;

\* è un libro di curiosità e di dritte pratiche dedicate a chi ha

sbagliato e ha fatto morire svariati virgulti innocenti, ma
non si vuole dare per vinto;

* è una passione che sentivo di raccontare insieme ai successi
  e ai fallimenti sul campo, senza la pretesa di sostituirmi ai
  grandi maestri del giardinaggio;

* è una passeggiata sentimentale tra letteratura, film e viaggi,
  che alla fine mi riporta spesso sul sentiero della *verdure*.

Ma è anche un'occasione per condividere il bisogno profondo
di riposare i nostri occhi inquinati su qualcosa di verde e di
vivo che ci ricordi chi eravamo prima di diventare schiavi delle
application del nostro smartphone. Per fare del mondo – nel
nostro piccolo – un posto migliore bisogna insistere, spor-
carsi di terra e magari un po' di concime. D'altronde, canta
De André, "dai diamanti non nasce niente".[5] È dal letame che
nascono i fiori. E quindi liberate pure quell'istinto irrefrenabile che vi spinge a migliorare il paesaggio intorno a voi: inutile
resistere, siamo guidati da un'urgenza primaria, dall'eterna nostalgia di quel famoso giardino dell'Eden da dove siamo stati
cacciati all'inizio del mondo, luogo di delizie, paradiso perduto che da sempre sogniamo di riconquistare.
Trafficare con le piante è anche questo: una promessa di felicità.
Perché non approfittarne?

# 1

# NESSUNO È PERFETTO

* * * * *

*"Nel giardinaggio c'è qualcosa di simile alla presun-*
*zione e al piacere della creazione: si può plasmare un*
*pezzetto di terra come si vuole, per l'estate ci si può*
*procurare i frutti, i colori e i profumi che si preferisco-*
*no. Si può trasformare una piccola aiuola, un paio di*
*metri quadrati di nuda terra, in un mare di colori, in*
*una delizia per gli occhi, in un angolo di paradiso."*[1]

*Hermann Hesse*


*"Ho voluto la perfezione e ho rovinato quello che an-*
*dava bene."*

attribuita a *Claude Monet*


Credo che il problema del giardino dell'Eden sia stato proprio la perfezione. Le Scritture ci tramandano un luogo idil-
liaco, fitto di piante cariche di frutti e perennemente in fiore.
Non era necessario annaffiare né concimare, tutto cresceva
spontaneamente, in piena armonia. Non bisognava potare né

togliere una fogliolina gialla dai gerani e le rose rifiorivano senza picchiettature e mal bianco. Se desideravi una nuova ortensia quercifolia all'angolo del gazebo, appariva "miracolosamente" proprio dove l'avevi pensata.

"Che barba!" deve aver pensato Lilith, la prima compagna di Adamo, quella tramandata come cattiva e disobbediente. In realtà anche Eva, la sostituta, si è fatta subito prendere dall'irrequietezza e, pur di movimentare quell'eterna vacanza, ha addentato senza scrupoli il frutto proibito. Due sono le cose: o Dio aveva creato Adamo preciso in tutti i particolari ma di una noia mortale, o vegetare in quel luogo perfetto non era poi così paradisiaco.

Eppure molti filosofi e studiosi concordano nell'affermare che l'essere umano vive nella perenne nostalgia di quello spazio incantato; è affascinante scoprire che nelle culture e religioni più diverse le parole "giardino" e "paradiso" spesso coincidono. Dal Corano alle Sacre Scritture, ritroviamo questo luogo di benessere supremo dove l'uomo finalmente raggiunge una dimensione di felicità.

E sembra che ogni nostro tentativo di circondarci di piante e di verde sia sempre teso alla ricostruzione di quello stato primigenio dove tutto ebbe inizio: se un paradiso l'abbiamo perduto, perché non provare a edificarne un altro fatto a nostra immagine e somiglianza? (Basterebbe questo per convincerci che le domeniche passate a caricarsi in spalla pesanti sacchi

da 25 chili di terriccio per acidofile non siano state sprecate.)
La teoria è affascinante e ha ispirato artisti e scrittori di tutti i
tempi. Primo tra tutti il grande poeta inglese John Milton che,
nel suo *Paradiso perduto*, ci regala la descrizione più compiu-
ta dell'Eden. Nel poema scopriamo questo luogo incantato
attraverso lo sguardo del diavolo che, appollaiato sull'albero
della conoscenza, spia geloso il giardino e i suoi due abitanti.

> "Ed ancor più alta della muraglia
>   appariva una chiostra di alberi immensi
>   ricchi di splendidi frutti."[2]

Per non parlare delle rose che miracolosamente nascono senza
spine, dei mille rivoletti d'acqua e delle caverne ombrose per
riposarsi. Questo povero satanasso costretto ad abitare in un
luogo maledetto ci fa quasi pena quando scopre il resort a
cinque stelle dove Adamo ed Eva vivevano belli e beati senza
neanche curarsi di zappettare l'orto.
La critica del tempo accusò Milton di essersi schierato un po'
troppo dalla parte del diavolo, ma come biasimarlo? Alla vista
di tutto quel ben di Dio da cui era escluso, il minimo che
potesse fare Satana era indurli in tentazione.
Ma il peccato originale viene chiamato *felix culpa*, colpa felice
o "caduta propizia": come ci insegna sant'Agostino, senza la
debolezza dell'uomo non ci sarebbe redenzione, coscienza e
conoscenza.

Secondo Robert P. Harrison, professore di Letteratura all'Università di Stanford e autore di *Giardini. Riflessioni sulla condizione umana*, il merito di tutto ciò sarebbe stato di Eva. Se avessimo aspettato Adamo, saremmo ancora rinchiusi in quel paradiso terrestre, incantati e immutabili. Non sarebbe esistito il mondo. L'immortalità, si sa, elimina il problema della morte, ma ci priva anche della meraviglia della nascita. Non ci sarebbero stati figli né nonni; non ci sarebbe stato il dolore, ma neppure la gioia, perché quando tutto è sempre perfetto non puoi sapere cos'è la felicità. Adamo ed Eva sarebbero rimasti da soli in eterno a guardare le farfalle: insomma, una noia immortale. Ecco il grande merito di Eva: osò assaggiare per prima il frutto della conoscenza e ci scaraventò finalmente fuori dal giardino dell'Eden per farci vivere pienamente la nostra avventura terrena. Dopo avere definito Eva, per la sua audacia, la vera antenata di Ulisse, Harrison sottolinea anche che molti artisti avevano capito questo ruolo rivoluzionario della prima donna quando dipinsero la cacciata dal paradiso terrestre. Masaccio, Michelangelo e Dürer nei loro capolavori mostrano Eva, avida del suo nuovo futuro, precipitarsi verso l'uscita dell'Eden impaziente d'andarsene, con il volto trasfigurato dall'eccitazione, mentre Adamo sembra piuttosto intontito e titubante ad affrontare quello che l'attende.[3] Possiamo aggiungere: "Sotto 'a botta impressionato"! Nasce quel giorno la prima regola del giardinaggio terrestre: "Lavorerai la terra con il sudore della fronte"… e non sempre raccoglierai qualcosa. Scusate questa mia aggiunta apocrifa, ma chi ha provato a praticare questa attività sa cosa intendo. Il giardinaggio è un percorso accidentato, punteggiato da fatiche e delusioni, ma proprio per questo così eccitante nei risultati positivi.

Fuori dall'Eden le rose si coprono di spine e, senza l'impianto d'irrigazione divino, i gelsomini si seccano; ma non ha prezzo la soddisfazione della prima fioritura del tuo glicine dopo quattro anni di sforzi e umilianti preghiere in ginocchio.

Chi non ricorda, nel film *Bianca*, le imprecazioni che Nanni Moretti rivolge alla sua pianta stecchita, prima di gettarla definitivamente giù dal balcone? "Hai troppo sole? Poco sole? Cos'è che vuoi? Più acqua? Meno acqua? Perché non parli? Rispondi!"[4] Scena memorabile per ogni giardiniere. Come sempre, l'umana imperfezione è un elemento di positività: è questo lo stato d'animo che si dovrebbe adottare quando s'inaugura un'attività giardiniera. Non pretendete di avere immediatamente un Eden perfetto: quello si trova in commercio, ma solo di plastica. Ho visto signore indignate riportare un povero alberello al vivaio perché gli erano cadute tutte le foglie. "Non è sempreverde, signora, d'inverno è spogliante!" Questa sensata risposta del giardiniere di solito viene presa come una grave offesa personale, dopodiché la signora, stizzita, molla il misero tronco nudo e sparisce.

"Tutto e subito" è il primo grande errore di tutti noi neofiti.

L'arte del giardinaggio impone pazienza, forza d'animo e osservazione, doti ultimamente in disuso, ed è per questo che prendersi cura di uno spazio verde è un'attività consigliata come terapia per vari disturbi della psiche. Si tratta di una vera e propria pratica zen che ci riconcilia, se non con il mondo intero, almeno con noi stessi. Io non mi sono mai servita del prezioso aiuto di uno psicanalista: forse ho sbagliato, però tutti i soldi che ho risparmiato li ho reinvestiti in piante, e devo dire che il risultato non è totalmente da disprezzare, se non altro per i miei spazi verdi.

Concentrarsi sulla potatura di un cespuglio di rose libera la mente e forse apre anche qualche chakra; se non mi credete potete consultare l'immensa letteratura sull'argomento.

Primo fra tutti il poeta-giardiniere Hermann Hesse. Tra la scrittura di *Siddharta* e del *Gioco delle perle di vetro*[5] si occupava con passione del suo giardino tra le valli del Ticino: una striscia di terra a cui dedicava molte ore della giornata, come documentano le bellissime foto che lo ritraggono in beatitudine con tanto di annaffiatoio e cappello di paglia.[6] Un vero contadino più che un premio Nobel, come ironizzavano i suoi detrattori, ma lui serafico affermava: "Divido la mia giornata tra lo studio e il lavoro in giardino, quest'ultimo serve alla digestione spirituale… L'occuparsi della terra e delle piante può conferire all'anima una quiete e una liberazione simili a quelle della meditazione".[7]

*"Divido la mia giornata tra lo studio
e il lavoro in giardino, quest'ultimo
serve alla digestione spirituale."*

Non mi sono meravigliata nel leggere che negli Stati Uniti hanno sperimentato con successo l'attività giardiniera non solo come cura antidepressiva, ma anche come terapia per chi ha subìto traumi o vissuto situazioni estreme come i veterani di guerra che in America, purtroppo, non mancano mai. Spesso i soldati al ritorno dal fronte sono afflitti da PTSD, ovvero *Post-Traumatic Stress Disorder*, il Disturbo post-traumatico da stress. E sembra che questo "trattamento orticulturale" venga già praticato con successo nei due terzi degli Stati americani; almeno così ci racconta, nella sua rubrica sul "Financial Times", Robin Lane Fox,[8] celebre storico nonché uno dei più quotati esperti di giardinaggio del Regno Unito. È sorprendente pensare che dei marine che hanno visto l'inferno si muovano leggiadri tra filari di tulipani, ma pare che i risultati siano entusiasmanti. Secondo Fox il segreto del giardinaggio risiede nella capacità di attivare un senso di speranza in chi lo pratica: considerato che i reduci soffrono la totale mancanza di una prospettiva, un vuoto di senso e di futuro, per loro non potrebbe esserci medicina migliore.

Certo il colonnello Kurtz di *Apocalypse Now*[9] proverebbe ancora più orrore davanti ai suoi uomini cinguettanti tra la *verdure* ma, viste le conseguenze a cui ci ha abituato la cronaca nera, sempre meglio zappatori che serial killer.

## NOSTALGIA CANAGLIA

Perfino il mitico condottiero Alessandro il Macedone, detto il Grande, negli ultimi giorni della sua burrascosa vita, cercando la quiete si dedicò alla *verdure*. Dopo aver conquistato mezzo mondo ed essersi spinto fino alla lontana India, Alessandro raggiunse la pace nei giardini pensili di Babilonia, città leggendaria che, qualche anno prima, aveva espugnato con il suo invincibile esercito e gli si era stampata nel cuore più di tutte le altre terre che aveva conquistato. Quando aveva varcato le mura da vincitore, era rimasto incantato dalla quantità di piante e dalla bellezza delle terrazze verdeggianti. Ecco come le descrive lo storico romano Curzio Rufo: "Le terrazze si trovavano al sommo della città alta, esattamente allo stesso livello della parte superiore delle mura, e risultavano assai gradevoli per l'ombra prodotta da numerosi alberi. Piante così imponenti che i Macedoni riuscirono a toccare tronchi dalla circonferenza di quasi quattro metri, e alte fino a quindici; e non si trattava solo di piante ornamentali, per quanto imponenti, ma di alberi da frutto, e che fruttificavano in abbondanza, come se perfettamente inseriti nel loro ambiente naturale".[10]

Alessandro era stato colpito al cuore dai giardini babilonesi, una delle sette meraviglie del mondo, anche perché gli ricordavano la sua terra d'origine, l'amata Macedonia.

La nostalgia, come abbiamo già visto con l'Eden perduto, è uno dei motori più potenti per le passioni giardiniere. Gli stessi giardini di Babilonia erano nati sotto la spinta di questo impetuoso sentimento. Pare che, a causa della forte nostalgia per le montagne e i boschi dove era nata, la regina Amitis avesse costretto suo marito, il potente Nabucodonosor II, a cimentarsi nell'impresa titanica di costruire i giardini pensili. Nonostante Babilonia si ergesse in mezzo al deserto, il re non si perse d'animo e fece fortificare queste terrazze con pietre lavorate per l'occasione, capaci di contenere la terra più ricca e sostenere alberi enormi, prati e cascatelle: un'opera immane di alta ingegneria idraulica che ridonò il sorriso alla signora. E c'è chi 2500 anni dopo se la cava ancora con un meschino bouquet stagionale!

E fu sempre per questa "nostalgia canaglia" che Alessandro Magno, rientrato a Babilonia, si dedicò al giardinaggio, ossessionato dalla sfida di acclimatare nei giardini babilonesi i suoi virgulti preferiti. La leggenda narra che s'intestardì in particolare con l'edera, pianta simbolica per i greci, espressione di vittoria e immortalità. Pare che ogni tentativo di far attecchire i germogli provenienti da casa fallì miseramente: l'evento è particolarmente misterioso, dal momento che l'edera è considerata quasi un'infestante e che anche un bambino riuscirebbe a riprodurla senza difficoltà. O Alessandro era quello che comunemente viene detto un "pollice nero", o gli storici dell'epoca hanno fatto confusione con le piante. In ogni caso, la leggenda ci dimostra che per quanti continenti tu abbia conquistato, ti puoi ritrovare sconfitto davanti a un insignificante rametto che proprio non ci pensa a germogliare. Non si sfugge alla dura legge del giardinaggio.

Anche senza edera, Alessandro si stabilì con tutte le sue mogli nel palazzo di Babilonia, dove aveva voluto seppellire l'adorato amante Efestione. Le famiglie all'epoca erano allegramente allargate, come ci ha mostrato *Alexander*,[11] il film di Oliver Stone, che per quanto frutto di una minuziosa ricerca storica ha due pecche: non ci parla dell'episodio dell'edera e fa indossare a Colin Farrell/Alexander una parrucca improbabile che sinceramente toglie non poca poesia a questo eroe così sentimentale. Noi preferiamo ricordarlo con le struggenti parole degli storici che ci raccontano come, al sopraggiungere della morte, il valoroso condottiero volle essere accompagnato nei suoi giardini. Fu lì che l'esercito sfilò per l'ultima volta di fronte a lui, all'ombra degli alberi che tanto amava, celebrando l'uomo che avevano seguito ai confini del mondo.[12]

## SPERIMENTARE ALL'INFINITO

Chissà, se fosse vissuto un po' più dei suoi trentatré anni, forse Alessandro sarebbe riuscito nell'unica impresa che lo vide sconfitto. Perché il giardinaggio vive di tempi lunghi e s'impara solo sbagliando. Lo dicono tutti i più grandi giardinieri, da Gertrude Jekyll a Libereso Guglielmi, ed è gente di cui ci si può fidare. Non scoraggiatevi quindi ai primi insuccessi: radici ammuffite, foglie divorate dalle lumache, rododendri bruciati da collocazioni in pieno sole sono state le mie prime esperienze di paradiso. La delusione provocata dalle batoste iniziali è pari a uno smacco amoroso: "Ma come, io ti ho travasato, innaffiato, concimato e tu mi ripaghi così?". Al contrario delle relazioni sentimentali, con la natura si capisce quasi sempre cosa non ha funzionato. Poi naturalmente c'è quella piccola percentuale di imprevisto, quell'imperscrutabile mistero a cui bisogna arrendersi. Con le piante, alla fine, c'è sempre un'altra possibilità che ci aspetta nel vivaio sotto casa, cosa che purtroppo non avviene con gli esseri umani. Ma è un argomento che ci porterebbe troppo lontano.

"Fare del giardinaggio significa sperimentare all'infinito, e questo è il lato divertente."[13] Parola di Vita Sackville-West, scrittrice e giardiniera, indiscussa creatrice del primo giardino bianco, e non è poco. Perché il bello, in questo campo, è che si può sbagliare e ricominciare senza soluzione di continuità. Di errori è costellata la carriera di qualunque grande giardiniere. Se vi dico che qualcuno l'ha commesso anche Claude Monet, allora forse vi potete rilassare. Se non avete ancora visto il trionfo delle sue ninfee, capolavoro considerato la cappella Sistina dell'impressionismo, chiudete subito questo libro e correte a Parigi all'Orangerie, nei giardini delle Tuileries, per colmare questa lacuna. Mi dispiace ma *Les Nymphéas* non basta ammirarle in una seppur lussuosa riproduzione, bisogna essere lì, dal vivo: così avrebbe voluto l'artista e non è educato contrariarlo. Monet aveva concepito una vera e propria installazione *ante litteram* per la sua opera definitiva. Enormi tele rivestono completamente le pareti di due grandi sale ovali. Entrare negli ambienti sapientemente illuminati è un'esperienza unica, proprio come trovarsi sulla sponda di uno specchio d'acqua costellato di vere ninfee. Quelle che lui stesso coltivava si possono ancora ammirare dal vivo in uno dei punti più romantici del giardino di casa Monet a Giverny, luogo preservato nel tempo da una fondazione internazionale che da anni continua a curare con dedizione gli alberi e i fiori secondo lo schema che il pittore-giardiniere aveva tracciato.

Negli ultimi anni della sua vita Monet aveva trascurato i rigogliosi filari di iris blu e i solari nasturzi che ancora oggi invadono il viale principale. Tra tutte le piante messe a dimora e curate amorevolmente, alla fine aveva scelto di dipingere solo ed esclusivamente le ninfee immerse nei riflessi d'acqua del suo piccolo lago. Un'ossessione artistica che lo aveva spinto a ingaggiare un duello amoroso con i suoi fiori prediletti a tutte le ore del giorno, dall'alba al tramonto. I suoi

*"Ancora una volta mi sono prefisso
l'impossibile: uno specchio d'acqua
sul quale ondeggiano piante..."*

amici e il suo mercante d'arte ci parlano di più di cinquecento tele che l'artista distrusse, insoddisfatto del risultato. "Ancora una volta mi sono prefisso l'impossibile: uno specchio d'acqua sul quale ondeggiano piante... è meraviglioso da vedere, ma esasperante da rendere. Eppure mi ritrovo sempre ad affrontare cose del genere."[14]

La sfida di dipingerle, però, è stata preceduta da un'altra prova non meno dura: fare acclimatare questi fiori sorprendenti nel suo giardino a Giverny. Una volta creato il lago, Monet ordinò le sue prime ninfee da un noto floricultore che aveva dato vita a decine di nuove varietà dalle forme e colori rivoluzionari. Il pittore aveva visto queste ninfee in mostra all'Esposizione Universale di Parigi del 1889, quella del centenario della Rivoluzione francese, rimasta celebre per la presentazione di una originale torre di ferro alta trecento metri. Ma Monet, più che dalla Tour Eiffel, era stato attratto dai capolavori dell'ibridatore Latour-Marliac, che si conquistarono vari premi e acclamazioni. In quell'occasione il pittore e il vivaista strinsero una lunga amicizia, segnata da una fitta corrispondenza tuttora conservata nell'archivio del vivaio.

Numero 2 *Nymphaea flava* (*Nymphaea* "Mexicana",
varietà della Florida);
Numero 2 *Nymphaea* "Laydekeri Rosea" (Latour-
Marliac, 1892) colore rosa;
Numero 2 *Nymphaea sulphurea grandiflora* (Latour-
Marliac, 1888) colore giallo.[15]

Questo è il primo ordine dei leggendari fiori da parte di Monet
presso il vivaio di Latour-Marliac nel 1894.

Il padre degli impressionisti, come ogni buon giardiniere, fre-
meva per mettere a dimora le sue amate piante, nell'ansia di
completare il quadro in perenne evoluzione del suo giardino
di casa. In risposta alla sue preoccupazioni sulla riuscita dei
fiori esotici nel rigido clima nordico, il noto vivaista allegò
al pittore, insieme alla fattura, queste istruzioni essenziali:
"Le ninfee si possono coltivare con ottimi risultati nel dipar-
timento dell'Eure. I rizomi vanno pressati orizzontalmente
nel fondo della vasca che li ospiterà, ricoperti di una modica
quantità di fanghiglia, ma non si devono immergere a più di
cinquanta centimetri di profondità nell'acqua".[16]

I consigli sono validi ancora oggi per chiunque si voglia ci-
mentare nella creazione di un laghetto o anche solo di una
piccola vasca di piante acquatiche. Il vivaio Latour-Marliac,
incluso nell'elenco dei più bei giardini di Francia (*Jardin re-
marquable*),[17] possiede un prezioso catalogo di ninfee, fiori di

loto e bambù consultabile via internet, dov'è possibile ordinare online e ricevere miracolosamente per posta le preziose piante acquatiche.

Per consolarvi dalle prime eventuali sconfitte giardiniere, vi voglio svelare che il grande pittore, come risulta dall'archivio Latour-Marliac, fallì parecchie volte con i suoi beneamati fiori, e solo grazie a ripetute spedizioni riuscì a far attecchire le sue celebri ninfee. La pazienza del giardiniere e l'ossessione di Monet alla fine fecero nascere i capolavori resi immortali dai dipinti che oggi possiamo ammirare all'Orangerie.

La costruzione di un giardino è pari alla creazione di un'opera d'arte, come quando si realizza un quadro servono ispirazione, impeto e passione. Johann Wolfgang von Goethe, che aveva un debole per le dalie di tutte le sfumature, su questo argomento è perentorio: "Il giardino va inteso come una pittura".[18] Punto e basta. Il giardiniere dipinge senza pennelli ma con la zappetta e il concime, e il risultato è un'opera vivente che varia con le stagioni e lo stato d'animo di chi la realizza. Con il vantaggio che la vecchia pergola di vite vi farà più ombra di una semplice tela, che se poi fosse firmata da Monet vi costerebbe immensamente di più dell'uva pizzutella.

Nostalgia dell'Eden, desiderio di realizzare una piccola opera d'arte fuori dalla vostra finestra, ricerca di un centro di gravità permanente o di uno straccio di equilibrio psicologico almeno nei giorni di festa: questi sono alcuni dei motivi per cui avete comprato quelle bustine di semi di violacciocche. Ora che lo sapete, non lasciatele marcire nell'ultimo cassetto. È ora di agire!

## LOTUS FLOWER

Se non c'è nulla di più struggente di uno specchio d'acqua punteggiato da ninfee multicolori, perché allora non spingersi oltre e rischiare la coltivazione casalinga del più misterioso e simbolico tra i fiori acquatici, la sacra pianta del loto? Io l'ho fatto e se ci sono riuscita io può farcela chiunque, a parte i discendenti di Alessandro il Grande. Il fiore di loto asiatico, il *Nelumbo nucifera*, è una delle piante acquatiche più belle che lo sterminato catalogo della flora terrestre annoveri. Sia nella religione induista sia in quella buddista proliferano centinaia di leggende su questo magico fiore. Nell'induismo, il loto rappresenta il centro dell'universo. Lakshmi, dea della fortuna, della prosperità e personificazione della bellezza femminile, viene raffigurata seduta su un loto rosa in piena fioritura e con fiori di loto nelle mani. Secondo la leggenda, Lakshmi nacque proprio da questa pianta sbocciata sulla fronte del dio Vishnu. Ancora oggi, nel culto della dea, viene utilizzata una corona composta da 108 semi di loto, famosi per la loro straordinaria longevità, tanto che possono germogliare anche dopo anni dal raccolto. Addirittura si narra che in Egitto dei semi di loto trovati nella tomba di un faraone furono piantati dopo millenni e fiorirono come se niente fosse. Chi lo narra probabilmente questi semi se li è anche fumati e non credo sia attendibile.

La storia della creazione in Egitto racconta che Ra, il dio del sole nato dal caos, apparve per la prima volta innalzandosi dai petali di un fiore di loto. Ogni notte Ra ritornava al fiore e si lasciava nuovamente avvolgere dai suoi petali per riposarsi. "Lentamente ci apriamo come i fiori di loto" cantano i Radiohead nella canzone *Lotus Flower*,[19] infatti la caratteristica del loto è quella di schiudersi all'alba come se si svegliasse da un sonno profondo, per poi riaddormentarsi al tramonto suggellando di nuovo la sua corolla. Mi raccomando, se volete fotografare questo evento sbrigatevi perché la fioritura dura solo tre giorni e non è detto che l'anno seguente abbia voglia di fare il bis.

Le storie meravigliose sulla longevità del loto hanno alimentato nei secoli il mito di questo fiore, accreditandolo per sempre come simbolo di vita perenne.

Sarà per questo che gli architetti del nuovo tempio dedicato a tutte le divinità della Terra hanno pensato alla forma del loto per questa chiesa avveniristica. Sorge appena fuori New Delhi, ed è dedicata alla fede Bahá'í,[20] che crede in un'unica grande unità spirituale tra gli uomini e che include i vari profeti e messia di ogni religione. Una sintesi pacifica che da Abramo a Buddha, da Gesù a Maometto, non esclude nessuno e non prevede lotte contrapposte. E in questo momento di guerre fratricide e fanatismi sanguinari è consolante sapere che il Lotus Temple, un fiore gigante con petali di marmo bianco, è aperto a tutti gli abitanti della Terra senza preclusioni e accoglie ogni anno più fedeli di ogni altra chiesa: sembra costruito nel giardino dell'Utopia e invece è solo alla periferia di New Delhi.

## PERCHÉ RINUNCIARE A UNA BIO-TINOZZA?

Ma i prodigi non finiscono qui. Il sutra *Lalitavistara*, che narra la vita leggendaria del Buddha, ci spiega che "lo spirito del migliore degli uomini è senza macchia come il loto appena nato, che l'acqua fangosa non può sporcare". Infatti una delle particolarità più suggestive della foglia di loto è l'idrorepellenza: come un autentico Burberry, il re degli impermeabili inglesi, questa foglia respinge ogni goccia d'acqua che osa avvicinarsi, trasformandola in una veloce pallina che scivola via senza sfiorarla come il mercurio. È un esperimento che mi entusiasma e che infliggo a tutti i miei amici, se disgraziatamente mi fanno visita in giardino. "Vi ho già fatto vedere com'è idrorepellente il loto?" "Sìì, certamente!", rispondono i malcapitati. Nel dubbio li sottopongo ancora una volta al portentoso fenomeno, peraltro ammirato e investigato dagli scienziati di tutto il mondo, che studiano il segreto di queste qualità "autopulenti" della pianta, mai intaccata dal fango e dalla polvere. Pare che la superficie delle foglie sia disseminata da nano-peli, una sorta di fitta peluria simile a quella che ricresce dopo il trapianto sulla nuca dei playboy anziani; con la differenza che le foglie di loto, oltre che idrorepellenti, sono bellissime.

La coltivazione dei loti non si allontana di molto dal poetico assioma che dà il titolo a questo libro: "Dal letame nascono i fiori". La pianta infatti nasce da una fanghiglia subacquea, più melma che terra, per poi uscire in superficie in tutto il suo splendore, regalandoci magnifiche fioriture su steli eretti circondati da foglie tonde così perfette da sembrare disegnate al compasso. Ciò che sembra uno spettacolo per pochi eletti è invece alla portata di tutti. Non serve un lago di proprietà o una vasca olimpionica per godere di questa meraviglia, è sufficiente una tinozza o meglio una bio-tinozza, come ci insegnano gli esperti dei Vivaibambù,[21] veri guru in materia. Il loro fondatore, Mario Brandazzi, è uno dei più grandi ibridatori di nuove e incredibili specie di fiori di loto dalle tinte esaltanti: è un appassionato botanico, coltiva bambù e piante acquatiche da quasi trent'anni, possiede una collezione di oltre cento specie di bambù, duecento varietà di ninfee e la più grande collezione d'Europa di fiori di loto. Se passate da Cremona, una visita al vivaio è d'obbligo, ma anche un sopralluogo via internet non è da disprezzare. Grazie ai suoi consigli potrete installare la vostra tinozza da "paradiso terrestre in miniatura". Io ho preso una vera e propria bacinella da bucato, quelle vecchie di metallo (l'importante è che il contenitore sia profondo almeno 40-50 centimetri), l'ho riempita d'acqua e ho creato un substrato fangoso come da istruzioni. Quando ho messo a dimora i loti, insieme alle piante ho liberato nell'acqua dei piccoli pesci, raccomandati come compagni indispensabili dei fiori di loto. Almeno così mi ha consigliato Enza Romano del vivaio Etabeta,[22] un altro genio delle acquatiche che con pochi elementi ti aiuta a costruire un vero e proprio ecosistema in miniatura. I pesciolini poi, per la vostra gioia, mangiano pure le larve delle zanzare e così siete a posto. Sempre che non abbiate dei gattini che a loro volta si mangiano i pesciolini che per due soldi mio padre comprò...

Se invece avete più spazio e addirittura la possibilità di un angolo di terra libero in giardino, non privatevi della gioia di impiantare almeno un piccolo stagno dove sbizzarrirvi con vari tipi di acquatiche. Seguendo le istruzioni non c'è bisogno di grande manutenzione, perché la natura, se non la scocciamo con l'inquinamento, riesce a fare tutto da sé. Ci sono piante prodigiose che hanno la qualità di purificare l'habitat dove vivono e molluschi che filtrano l'acqua in modo naturale: non siamo a Disneyworld, ma nel giardinetto di casa vostra. Il mio sogno segreto è avere, un giorno, un laghetto anche piccolo ma profondo almeno 70 centimetri, che è la misura minima per ospitare delle carpe Koi. Ho sempre desiderato avere delle "carpe per amiche". Sono quei pesci bellissimi raffigurati spesso nei dipinti giapponesi: bianchi, rosati, striati di rosso, a volte con delle pennellate nere che sembrano date con la china. Oltre a essere magnifici, sono teneri e affettuosi: insomma, veri e propri pesci da compagnia, bisognosi di coccole, tanto che risalgono in superficie per farsi accarezzare. In Giappone sono da secoli ritenuti un simbolo d'amore e di amicizia. È per questo che lo scrittore Ivan Cotroneo, nel suo romanzo *Cronaca di un disamore*,[23] ne consiglia la frequentazione a tutte le anime sofferenti per abbandoni amorosi.

## L'OSSESSIONE DELLE TALEE

"La moltiplicazione per talea è fondata sulla proprietà di rigenerazione presente in molte piante. In questo tipo di riproduzione frammenti di rami, distaccati dalla pianta madre e collocati in ambiente adatto (terreno o acqua), sono capaci a loro volta di generare radici e foglie, riproducendo una nuova pianta con le caratteristiche della pianta madre."[24]

Riprodurre le piante è un gioco meraviglioso: a proposito di Eden, niente ti avvicina di più al grande Giardiniere divino quanto trasformare un bastoncino mezzo stecchito in una nuova "creatura" fiorita. Un mio amico, mostrando i suoi tesori, davanti alle esclamazioni estatiche del pubblico di turno si offre sempre di "rifarti" un esemplare su due piedi. Di solito si torna a casa carichi di preziosi ramoscelli che muoiono ancor prima di vedere terra. Se non vogliamo ripetere gli stessi errori di Alessandro il Grande con la sua edera, forse è meglio immergere in acqua la base della talea, che prima avete un po' schiacciato, e aspettare che si formino delle radici sottili; solo allora potrete sistemare amorevolmente il piccolo ramo in un vasetto di torba leggera e incrociare le dita. C'è chi usa poltiglie e polverine magiche agli ormoni che favoriscono la radicazione, io di solito ficco in terra dove capita i rametti avanzati da una potatura e lascio al destino e alla lotta per la sopravvivenza del più forte il verdetto finale. Un vero contadino mi ha insegnato a spingere le talee di rosa anche per 20-30 centimetri dentro al terreno e lasciare fuori solo un pezzo piccolo con due foglie, e pure tagliate a metà. Non chiedetemi perché, ma funziona.

Ci sono piante più adatte a questa tecnica riproduttiva, come per esempio la buddleia, un arbusto che produce in continuazione, per tutta l'estate, pannocchie di piccoli fiorellini che hanno il magico potere di attirare le farfalle. Impossibile resistere, se conoscete qualcuno che possiede una pianta fatevi regalare dei rametti verso la fine di luglio e interrate le talee come da copione. Ma il divertimento più grande è trasformarsi in cacciatori di piante internazionali. Ognuno ha le sue ossessioni: c'è chi in viaggio ruba saponette e posacenere dagli hotel e chi si riempie le tasche di semi e piante sconosciute per trapiantarle in patria. Quando trafugate all'estero, però, state accorti: è sempre meglio chiedere il permesso al padrone del giardino o al guardiano dell'eventuale orto botanico dove volete effettuare il colpaccio. Non tutti possiedono quella mentalità aperta ed ecologica che ha permesso nei secoli di far circolare le specie di piante intorno al mondo. A Cuba ho rischiato l'arresto per motivi molto meno eroici della dissidenza politica: mi hanno beccata mentre asportavo la cima di un rametto da un'irresistibile pianta con foglie a righe viola e verde muschio. Un esemplare insolito che ha subito destato in me un'attrazione fatale. Per fortuna, grazie a un diplomatico chiarimento di un amico locale, sono stata rilasciata con tanto di ramoscello, che ora troneggia sul mio davanzale e, nelle sue svariate riproduzioni, si è sparso qua e là nelle case di molti amici. Se però andate a trovare qualche amico americano, evitate di portargli in regalo una talea: negli Stati Uniti sono severissimi. C'è un modulo obbligatorio da compilare alla dogana in cui, oltre alle "classiche" domande (sei mafioso, drogato, comunista, serial killer?), desiderano sapere più di ogni altra cosa se trasportate per caso un seme di zucca o una piantina di basilico. Inutile mentire perché, se difficilmente l'intelligence riesce a riconoscere un kamikaze, uno spacciatore di spezie lo ferma di sicuro.

# 2

# I LUOGHI DELLA TERRA

\* \* \* \* \*

*"Oseresti dire, miss Rossella O'Hara, che la terra non conta nulla per te? Ma se è la sola cosa per cui valga la pena di lavorare, di lottare, di morire, perché è la sola cosa che duri [...]. Trai la forza da questa terra, da Tara, Rossella. Tu ne sei parte ed essa è parte di te."*[1]

*Rhett Butler a Rossella O'Hara,*
Via col vento

Se non possedete la mitica Tara, casa natia di Rossella O'Hara in *Via col vento*, né un giardino o un balcone, e nemmeno una strisciolina di spazio esterno dove sfogarvi, so già che state leggendo sempre più demotivati queste pagine di riscossa giardiniera, chiedendovi: ma dove potrò mai esprimere le mie velleità di floricoltore?

Il paesaggista francese Alain Baraton, che lavora da trentacinque anni al restauro e al mantenimento della reggia di Versailles, nel suo ultimo libro, *Je plante donc je suis* (Pianto dunque sono),[2] ci rassicura: per essere dei veri giardinieri non è necessario avere i possedimenti del re Sole e, data la sua competenza, possiamo credergli. Vi assicuro che per provare l'ebbrezza esistenziale del "piantare" basta un vaso pieno di terra, semi, acqua e sole; in mancanza di sole, lampade che simulino la luce solare. Nella mia esperienza di apprendista giardiniera ho visto cose che voi umani avete piantato in spazi piccolissimi, ho visto una foresta di bonsai occupare l'angolo di un monolocale, ho visto un secondo bagno trasformato in giungla primordiale con tanto di liane e ho visto troneggiare in salotto un ficus talmente grande che per fare conversazione bisognava spostare i rami.

La mia prima casa romana era un primo piano buio, ma molto buio, che si affacciava su un vicoletto stretto, ma così stretto che potevi toccare i panni stesi sul balcone di fronte. Per capire che tempo faceva bisognava pencolarsi dalla finestra e scrutare lo spicchio di cielo ritagliato tra i palazzi. Una casetta giardinaggio-repellente che disarmava ogni tentazione; eppure, a forza di sporgermi per le mie indagini meteorologiche, ho notato una specie di cornicione smozzicato che ha subito incendiato la mia fantasia. Grazie all'abilità di un amico falegname, ho realizzato una specie di mensola sospesa che arrivava fino alla mia finestra. Inutile raccontarvi il seguito: nell'arco di pochi giorni, un tripudio di lavande, viole e violacciocche trionfava sul pensile, che neanche a Babilonia se lo sognavano. L'importante è inchiavardare tutto con cura per evitare l'imbarazzante eventualità del vaso che precipita in testa al malcapitato, con conseguenze meno comiche della classica barzelletta.

## IL TERZO PAESAGGIO

La passione giardiniera non ha limiti né confini e non si ferma davanti alle difficoltà. Piantare è una spinta primordiale, un bisogno atavico dell'uomo. Il mondo è pieno di giardini momentanei che possono durare anche pochi giorni. Non mi riferisco alle installazioni per decorare gli eventi mondani o le sfilate di moda ma a quei succedanei di verde realizzati da chi vive e dorme per strada e, nonostante i disagi e le ristrettezze, sente la necessità di "creare" un esterno, uno spazio personale e riconoscibile che possa trasformare un desolato marciapiede in qualcosa che "faccia casa". Ricoveri provvisori che compaiono e scompaiono insieme a chi li ha creati, giardini nomadi, portatili, composti da materiali di recupero: fiori di plastica (più facili da curare), un vasetto ricavato da una lattina di fagioli trovata in un cassonetto o una vecchia testa di Barbie che troneggia vicino all'esile pianta di basilico sopravvissuta a varie peregrinazioni... Sembra incredibile che a fronte di gravi difficoltà di sopravvivenza quotidiana ci si possa dedicare a quello che viene comunemente considerato superfluo, eppure i giardini "non permanenti" spesso ci rispecchiano più di tanti prati leccati e tosati. Sono ciò che resta del nostro consumismo, danno valore alla risacca dei nostri rifiuti esagerati che finiranno per sommergere quel poco di verde che ancora resiste. I luoghi e gli spazi della natura si restringono sempre di più, cementifichiamo il pianeta a un ritmo vertiginoso, in-

41

golfiamo le città di macchine, le nostre strade sono ricovero di carcasse metalliche che a fine corsa si vanno a spiaggiare dagli sfasciacarrozze: cimiteri meccanici a cielo aperto dove finalmente le erbacce e le ortiche si prendono la loro vendetta definitiva ricoprendo i resti per sempre. La natura è lenta e implacabile, ma tende sempre a riappropriarsi della sua terra. Ovunque nel pianeta, oltre ai giardini supercurati con tanto d'impianto d'irrigazione satellitare, continuano a esistere questi non-luoghi: terreni post-industriali abbandonati, fatiscenti aree urbane dove sorgono abusi edilizi stranamente non condonati ma lasciati alle intemperie come scheletri arrugginiti, fabbriche o capannoni dismessi da un capitalismo vorace che è volato a sfruttare più a est, spiazzi periferici misteriosamente non edificati... Tanti luoghi diversi che in comune hanno solo l'assenza di ogni attività umana. Questi residui metropolitani, fino a ieri terra di nessuno, sono stati riscoperti dal paesaggista francese Gilles Clément, che ha coniato per loro una nuova definizione: "Propongo di chiamare Terzo paesaggio l'insieme dei territori sottratti all'azione umana, il terreno di rifugio della diversità respinta dagli spazi dominati dall'uomo. [...] Il Terzo paesaggio rinvia a Terzo stato (e non Terzo mondo). Uno spazio che non esprime né il potere né la sottomissione al potere".[3] Clément fa riferimento al pamphlet di Sieyès del 1789: "Dobbiamo porci tre domande: 1. Che cos'è il Terzo stato? Tutto. 2. Che cos'è

stato finora nell'ordine politico? Nulla. 3. Che cosa chiede?
Divenirvi qualcosa".[4]

Ma cosa aspira a diventare questo Terzo paesaggio vegetale? Clément è convinto che questa natura abbandonata, insieme ai luoghi fortunatamente messi in riserva e resi intoccabili da qualche
amministrazione oculata, abbia un forte potenziale politico.

Da lì si dovrebbe cominciare per ridisegnare il nostro mondo
ormai ricoperto da aiuole bitumate e piazzole autostradali.
Lo spazio che resta incolto e dimenticato ci dimostra come la
natura riesca ancora a organizzarsi; osservando attentamente
queste aree marginali scopriamo una vegetazione spontanea
che cresce e si mantiene da sola, senza bisogno di cure o di
concimi. Erbe vagabonde che si fanno moltiplicare dal caso e
dal vento e viaggiano a loro piacimento radicandosi nei luoghi rimasti indenni all'ossessiva cura dell'uomo, che vorrebbe
trasformare l'intero universo in un ordinato campo da golf.
Questi non-luoghi selvaggi, per il professor Clément, offro-
no una vera opportunità; sono territori da studiare, prototipi
di resistenza vegetale contro la dittatura del prato all'inglese,
nuova fonte d'ispirazione per dare vita a spazi autosufficienti
come i suoi famosi "giardini in movimento", chiamati così
perché il verde viene lasciato libero di espandersi senza potature violente o recinti forzati. Un esempio per tutti, il suo
Parc André Citroën una zona franca nel centro di Parigi, non
lontano dalla Tour Eiffel, dove ci si ritrova a passeggiare in

un territorio svincolato da regole giardiniere canoniche, immersi in una natura non addomesticata che sarebbe piaciuta allo scrittore Jean-Jacques Rousseau, grande teorico dei parchi naturali.

Ma l'instancabile Clément non si accontenta e, nel suo saggio *Il giardiniere planetario*, rilancia e ci ricorda che tutto il nostro pianeta è un grande giardino, e l'unico modo per salvarlo è fornire ai suoi abitanti una mentalità da giardinieri. "Avevo scelto di parlare di ecologia senza utilizzare la parola, portata al livello più basso dalla disaffezione, da tante battaglie, esitazioni, radicalismi. 'Giardino' è un termine più adatto. [...] Il giardinaggio planetario è un principio che chiama in causa l'umanità intera e mette in gioco una responsabilità individuale e collettiva."[5] Un vero filosofo del verde, sarà per questo che lo chiamano il Leibniz dei giardini!

L'invito è guardare al pianeta come a un unico spazio ecologico, un giardino che appartiene a tutti noi e che subisce le conseguenze delle nostre azioni negative, ma per fortuna anche di quelle virtuose, come la militanza dei "community gardens": zone salvate dall'abbandono e rimesse a nuovo dal lavoro volontario degli abitanti di un quartiere. Spazi che non solo migliorano la qualità della vita della comunità, ma si trasformano in luoghi d'incontro in cui i cittadini si identificano, isole che riescono a favorire il contatto non solo tra le persone ma anche con la natura e diventano, come spiega bene il gioco di

## "Il giardinaggio planetario è
## un principio che chiama in causa
## l'umanità intera."

parole in inglese: *enrichment of the soul as well as the soil*, un arricchimento dell'anima ma anche del suolo!

Tra l'altro il risultato estetico è molto originale, frutto di idee e gusti particolari, sicuramente più accogliente di tanto verde senz'anima riprodotto in serie dalla burocrazia delle amministrazioni.

Sarebbe interessante scatenare questi volontari della zappa per la città, se non dappertutto, almeno si potrebbe chiedere loro una consulenza sulle famose aiuole spartitraffico, i dannati "rondò" che ormai fioriscono a ogni italico incrocio.

Su questa nuova mania stradale bisognerebbe aprire un capitolo a parte, se non addirittura un'inchiesta. Non c'è pensatore moderno che non si sia lasciato andare a un'invettiva contro le immense rotatorie che ormai infestano il nostro paesaggio. Letteralmente dicesi rondò quella piazzola che sostituisce il vecchio incrocio con semaforo: slargo a volte spropositato dove si perde la nozione del tempo e si rimane ore a vagare in tondo prima di capire quale strada imboccare. Luoghi sospesi nel tempo, dove si procede come alle giostre, a un'andatura lenta tipo satelliti intorno al sole. Ma purtroppo al posto dell'astro splendente c'è l'orrenda aiuolona centrale, esempio di giardinaggio post-atomico che mette insieme a casaccio piante di climi e continenti diversi, che in comune hanno soltanto la deportazione da qualche vivaio accreditato. Finalmente Umberto Pasti nel suo *Giardini e no*, un libro ironico e pungente che non può mancare nella biblioteca di un volenteroso giardiniere, ci spiega che questo insulso proliferare "è favorito da una nuova politica urbanistica della UE, che negli ultimi anni ha erogato contributi a pioggia per eliminare più semafori possibili".[6] E sull'utilità dell'aiuolona centrale il suo giudizio è definitivo: "Nell'aiuola, irraggiungibile a piedi, avvolta da una nube di gas di scarico, rumorosa come una trincea della Prima guerra mondiale, nessuno sosterà mai. Nessuno si siederà mai. Nessuno dormirà o leggerà o farà all'amore".[7]

Il rondò con le sue tristi piante è l'ultimo grido (o meglio, lamento) dell'estetica urbana contemporanea, tanto che anche l'attento sociologo Ilvo Diamanti dedica a questo fenomeno un intero capitolo nel suo fondamentale *Sillabario dei tempi tristi*, spiegandoci che è uno dei simboli del declino della nostra esangue civiltà: "Difficile trovare una metafora migliore per rappresentare una società che assiste, senza reagire, alla scomparsa del 'suo' territorio e, insieme, delle relazioni fra persone".[8]

Certo, una volta esistevano simboli più autorevoli per definire la discesa di una cultura verso l'apocalisse, ma ogni società ha la decadenza che si merita, e a noi è toccato l'inutile rondò.

## CHI POSSIEDE LA SEMENZA
## TIENE IN PUGNO IL MONDO

Per fortuna nuovi giardinieri stanno invadendo il mondo, e anche la rete… Se possedete un'anima ribelle e vi sentite controtendenza, ovvero detestate il buonismo leccato dei giardini perbene, vi consiglio di andare a curiosare nel blog "politically scorrect" di Livia Zitara, cattiva ragazza esperta e appassionata che gestisce un sito frequentatissimo dal nome che è tutto un programma, *Giardinaggio irregolare*:

> Sono stufa delle bordure inglesi traboccanti di colori in sfumature digradanti attraverso tutti i toni del tramonto, di prati lindi e ben tenuti, delle panchine bianche con i pergolati di rose […], di tutte le inutili e insensate svenevolezze dolciastre che pervadono ogni descrizione di giardini.[9]

Non pretendo che la lettura di questo libro vi trasformi tutti in eco-pasionari, ma ormai il messaggio è chiaro: occuparsi di giardinaggio non è solo un hobby da vecchie signore inglesi annoiate che devono mostrare i nuovi virgulti alle amiche del tè delle cinque. Oggi che ci sentiamo sempre più lontani dalle decisioni politiche mondiali e non riusciamo a incidere sulla realtà che ci circonda occuparsi del "giardino planetario" può rivelarsi una risposta più concreta di tante chiacchiere in politichese.
Lo fa da anni l'associazione Slow Food[10] che, attraverso il cibo prodotto dalla nostra "Madre Terra", ha stimolato una rete di

coltivatori, giardinieri e allevatori che lottano a ogni latitudine del pianeta per mantenere e accrescere le diversità e le coltivazioni tradizionali.

E lo fa la scienziata e militante ambientalista Vandana Shiva che, sugli altipiani dell'Himalaya, difende e promuove le sementi tradizionali che le multinazionali delle coltivazioni intensive vorrebbero far scomparire per obbligare i contadini a comprare in esclusiva i loro prodotti brevettati. Non oso immaginare quello che avrebbe pensato Jean-Jacques Rousseau, che affermava con convinzione: "Siete perduti se dimenticate che i frutti sono di tutti, e che la terra non è di nessuno".[11]

Sì, sembra assurdo, eppure le multinazionali del settore agroalimentare hanno brevettato il riso e il grano; ma questi "semi industriali" sono sterili, durano il tempo di un raccolto e vanno ricomprati a ogni nuova stagione. E se l'annata non va bene bisogna indebitarsi con le banche per rifornirsi; senza dimenticare i concimi e i diserbanti indispensabili per quella semenza, guarda caso prodotti sempre dalla stessa azienda. Molti contadini indiani si sono trovati in difficoltà e hanno subìto la confisca delle loro terre da parte delle finanziarie a cui avevano chiesto i prestiti. Tanti, non sopportando l'onta della rovina, si sono suicidati. Vandana Shiva ha intentato diverse cause alla Monsanto e alle altre aziende produttrici di semi sterili. Ma le multinazionali non si arrendono facilmente. Il prossimo passo potrebbe prevedere la privatizzazione

*"Siete perduti se dimenticate*
*che i frutti sono di tutti, e che*
*la terra non è di nessuno."*

dell'aria che respiriamo, sembra una battuta paradossale ma
se l'hanno già fatto con la distribuzione dell'acqua perché fermarsi? Forse i manager della Monsanto si sono ispirati ai film di Totò: se il grande comico si vendeva la fontana di Trevi,[12] perché la multinazionale non dovrebbe vendersi il copyright del riso basmati come se fosse frutto dell'ingegno umano? Insieme ai contadini indiani, dovrebbe fare causa alla Monsanto anche un consorzio di tutte le religioni mondiali riunite per l'occasione: non ci insegnano da secoli che flora, animali e uomini sono stati tutti "inventati" da una persona sola, più conosciuta come il Creatore o Dio? Ecco chi dovrebbe percepire i diritti d'autore e tutte le royalty di questo mondo. Ma purtroppo le religioni sono sempre in lotta tra loro e perderanno anche questa splendida occasione.

"Non è possibile trattare i prodotti della Terra come frutto della mente o della creazione di una multinazionale. È un capovolgimento della situazione, usarli è diventato un furto della proprietà intellettuale! Vogliono, come la chiamo io, 'la colonizzazione' dei semi, mentre dobbiamo pensare alla libertà dei semi, alla sovranità per i coltivatori in modo da opporsi alla volontà dell'agrobusiness che cerca di porre fine alla biodiversità."[13]

Per fortuna Vandana Shiva continua la sua opera di divulgazione sulle sementi naturali alla Earth University di Navdanya,[14] dove arrivano scienziati da tutto il mondo ad ascoltare insegnanti molto particolari, vecchie signore indigene che tramandano i segreti della coltivazione e conservazione dei semi e insegnano le pratiche tradizionali prima che vengano dimenticate del tutto.

La biodiversità e le varietà di piante presenti sul pianeta rappresentano un'immensa ricchezza per il nostro futuro. Risiede proprio nella differenza delle specie la scommessa per fronteggiare siccità e cambiamenti climatici sempre più incombenti. Solo conservando i semi e le piante e studiando le più svariate caratteristiche di adattamento potremo fronteggiare le evoluzioni che ci aspettano. È per questo che gli scienziati di tutto il mondo si sono uniti all'appello disperato degli agronomi che lavorano presso la stazione sperimentale di Pavlovsk, in Russia. Questa è una storia dei nostri tempi, un piccolo esempio di come abbiamo completamente perso il senso dei luoghi dove viviamo. La stazione fu fondata nel 1926 dallo scienziato e botanico russo Nikolaj Ivanovič Vavilov ed è tutt'oggi la terza banca del seme nel mondo, luogo unico e prezioso dove non solo si conservano ma si coltivano a cielo aperto una quantità impressionante di varietà in via di estinzione, frutti rari oltre a numerose tipologie di orzo, avena e grano. Quando in Etiopia una terribile siccità distrusse tutti i raccolti, fu proprio il centro russo a fornire di nuovo gli unici semi di grano superstiti che attecchivano così bene in quelle terre africane, e che senza questo paziente lavoro di conservazione avrebbero rischiato l'estinzione. Oggi l'estinzione la rischia l'intera stazione di Pavlovsk perché le autorità russe hanno concesso i permessi per una lottizzazione sfrenata che cementificherà questo giardino incantato, che aveva resistito all'assedio di Leningrado e alla fine drammatica del suo fondatore. Vavilov, dopo aver dedicato la vita allo studio e alla raccolta di esemplari provenienti da ogni parte del mondo, fu accusato ingiustamente dalle gerarchie sovietiche di tradimento scientifico(!): le sue teorie erano troppo borghesi e quest'apertura verso i semi di Paesi stranieri nascondeva certamente un'attività di spionaggio anticomunista. Morì di fame e di stenti in un feroce campo di lavoro stalinista, rimpianto e onorato da tutti i suoi allievi che oggi, con la stessa passione, combattono a spada tratta contro le ruspe dei palazzinari russi. Nonostante la solidarietà internazionale, le speranze di vincere sono sempre più deboli: l'ultima parola spetta al presidente Medvedev, ci auguriamo vivamente che ci ripensi e non si macchi di quello che viene definito dagli scienziati di tutto il mondo un irreparabile sacrilegio.

Culture intensive, semi ibridi e OGM sono oggi al centro di

polemiche scottanti e pareri controversi. C'è chi dice che gli OGM hanno aumentato i raccolti e diminuito l'uso dei diserbanti. Ma a chi sono andati i benefici? E a lungo termine la sparizione delle biodiversità e dei semi non modificati sarà davvero così vantaggiosa per gli abitanti della Terra? Per convincerci della bontà delle nuove colture "geneticamente modificate" ci raccontano che sono studiate per sfamare il Terzo mondo con una tipologia di frumento inattaccabile dalle malattie, pronto per essere distribuito ai poveri! Allora come mai finora non abbiamo visto queste grandi opere benefiche ma perlopiù raccolti prodotti per i nostri Paesi ricchi e obesi? Il settore è ancora in fase di sviluppo e deve essere al centro della nostra attenzione senza preclusioni ideologiche, come predicano i fautori delle sperimentazioni genetiche, ma soprattutto con un occhio vigile alla rapacità senza limiti del business agroalimentare, come ci ha insegnato la storia senza fine dello sfruttamento.

Perché chi possiede le semenze tiene in pugno il mondo, come da sempre predica l'antica cultura indonesiana che si rifà al culto di Dewi Sri, dea del riso e della fertilità. Di fatto il seme, microcosmo che a ogni stagione rinnova la vegetazione sul nostro pianeta, è più che mai centrale per il nostro futuro. C'è chi si scambia bustine proibite che non contengono droga, bensì semini di broccoletti in via di estinzione o di zucchine bruttacchione e bitorzolute ma con l'antico sapore di zucchina, ormai introvabili sul mercato. C'è chi si rivolge via internet alle centinaia di banche di semenze sorte in tutto il mondo per conservare questi preziosi testimoni di un'agricoltura più ricca di gusti e varietà. Se tutte le verdure, assaggiate a occhi chiusi, risultassero del medesimo sapore al nostro palato, avremmo perso un senso fondamentale e il piacere della memoria del gusto, quella impalpabile nostalgia che ha fatto scrivere pagine struggenti a Marcel Proust nel suo capolavoro *Alla ricerca del tempo perduto*.[15] Cosa sarebbe il ricordo della nostra infanzia senza il sapore? Ognuno ha le sue madeleine. Io per esempio inseguo come un santo graal una sensazione di pomodori freschi come quelli che crescevano nell'orto di mio nonno: voluttà forse perduta per sempre. Lo stesso avviene per le piante e per i fiori.

L'estrema industrializzazione del settore ci sta propinando piante super pompate, tutte uguali, le varietà in commercio diminuiscono mentre conquistano il mercato quelle di facile coltivazione, che resistono a ogni clima, terreno ed esposizione: esemplari quasi di plastica, prodotti in serie dall'altra parte del mondo. Amy Stewart, non la cantante, ma un'appassionata giardiniera e ricercatrice americana, scrittrice di storie intorno alle piante, nel suo *Flower Confidential*[16] ha condotto un'indagine approfondita sul "fiorente" mercato dei fiori, un semplice business intorno ai quaranta miliardi di dollari all'anno! Le rose che, se siete molto fortunate, avete appena ricevuto come regalo di compleanno probabilmente hanno viaggiato migliaia di chilometri prima di arrivare alla vostra porta. Oltre ad aver consumato più carburante di un campionato del mondo di formula uno, per rimanere fresche e inalterate, senza neanche una fogliolina ingiallita o un morso d'insetto, sono state irrorate di insetticidi potentissimi che respirerete a pieni polmoni alla prima annusata.

Con il tempo, al contrario di quelle fatte con lo stampino, le piante vere cresceranno forse in maniera più disordinata, ma saranno in grado di darvi grandi soddisfazioni.

Non bisogna pensare al giardino come a una nuova biblioteca da riempire di libri a casaccio pur di colmare i vuoti, si può partire con calma, magari dai leggendari semi di qualche varietà più inusuale; a volte è meglio un angolino vuoto, piuttosto che un buco tappato con il solito cipresso arizonica "dopato", in offerta al supermercato. È preferibile mischiare, diversificare gli acquisti e andare alla scoperta di piccoli vivai specializzati in qualche strana varietà, dove di solito i proprietari sono giardinieri appassionati e moltiplicano "in casa" le loro creature; vi venderanno piante già acclimatate, che non rischiano di seccarsi di colpo al primo refolo autunnale. E poi vuoi mettere il piacere della conversazione con il collezionista di pelargoni?

Nel vostro piccolo potete contribuire a una rivoluzione estetica più generale: non dimenticate che il vostro balconcino può trasformarsi nell'avamposto di questa sana battaglia.

## FLOWER POWER

Wolfgang Goethe portava sempre in tasca dei semi di violette, pronto a spargerli al vento per contribuire all'estetica del mondo.[17] Sulla stessa onda, non sono da meno gli attuali "guerrilla gardeners" che nottetempo bersagliano aree dismesse o tristi spiazzi urbani con bombe biologiche cariche di semi a pronta presa.

Si moltiplicano in rete nuovi siti di giardinaggio rivoluzionario che insegnano a confezionare queste "molotov vegetali" a scoppio ritardato. Gli obiettivi presi di mira sono preferibilmente mesti argini di fiumi, giardinetti condominiali malmessi e, mi auguro, anche i malefici rondò.

I risultati di solito si notano con misteriose fioriture nei luoghi più depressi della città, la primavera seguente all'attacco, quando è troppo tardi per andare a cercare i colpevoli, già pronti altrove a sganciare le bombe per l'autunno.

Se volete arruolarvi tra le fila del giardinaggio planetario e non vi basta più aver ribaltato il vostro terrazzino, potete sempre aderire a queste battaglie per l'eversione vegetale, adottando le parole di uno dei più grandi eroi della rivoluzione, il comandante Ernesto "Che" Guevara: "La rivoluzione non è una mela che cade da sola quando è matura. Devi farla cadere". O meglio ancora piantare l'albero, come ci suggeriscono i "guerriglieri verdi" Michele Trasi e Andrea Zabiello, autori di *Guerrilla gardening. Manuale di giardinaggio e resistenza contro il degrado urbano*,[18] un utile vademecum che insegna per filo e per segno tutte le tecniche della battaglia vegetale, senza trascurare la scelta delle piante più adatte e l'abbigliamento da indossare nei blitz.

Una volta cantavamo ingenuamente "mettete dei fiori nei vostri cannoni",[19] ora possiamo farlo sul serio. Purtroppo il nostro Paese, anziché farsi conoscere per questa forma di bombardamento ecologico, continua a rifiutarsi di ratificare la messa al bando delle malefiche bombe a grappolo: non di uva, purtroppo, ma proprio quelle vere. Raffinati strumenti di morte che uccidono anche molto tempo dopo che sono state lanciate: una singola *cluster bomblet* contiene da 200 a 600 mini-esplosivi che colpiscono un'area grande come un campo di calcio; le vittime, come in tutte le guerre moderne, sono per l'80 per cento civili, tra cui tanti bambini attratti dai colori sgargianti e dalle forme simili a giocattoli dei sofisticati ordigni, non a caso considerati da una convenzione mondiale "armi inumane". Mi sono ignote le ragioni per cui il nostro Paese, insieme a Russia, America e Cina (grandi produttori di questi orrori), non abbia ratificato il protocollo per metterle al bando. C'è chi adombra come al solito pesanti ragioni economiche: si tratterebbe di ingenti investimenti finanziari erogati ai produttori di bombe a grappolo da parte delle banche italiane, che farebbero forti pressioni per lasciare le cose come stanno.

Ma cosa c'entrano questi funesti discorsi di morte con il solare hobby dell'allegro floricoltore? Di solito niente. Ma, per chi si sente un giardiniere "planetario", le responsabilità sono diverse. Questa salutare attività non è solo un innocuo passatempo all'aria aperta, significa anche continuare testardamente a occuparsi di tutti i frutti velenosi che devastano il nostro "giardino" globale. La mentalità giardiniera dovrebbe trasformarci in attenti osservatori di quel che avviene intorno a noi e stimolare il nostro bisogno di bellezza e armonia.

L'allenamento continuo alla cura, alla protezione e alla conservazione della natura che circonda la nostra casa dovrebbe insegnarci ad alzare lo sguardo e imparare a prenderci cura di tutta la vecchia Terra dove viviamo, che per ora, in attesa di colonizzare Marte, rimane ancora l'unica chance che ci possiamo giocare.


PIANTARE, PIANTARE, PIANTARE

In attesa che il Terzo paesaggio si ribelli e ci sommerga di graminacee perenni, non possiamo restare con le mani in mano. Una volta accertato che i luoghi dove esercitare le nostre velleità giardiniere sono più imprevedibili e liberi di quello che la tradizione classica ci insegna, bisogna resistere, resistere e resistere, ovvero continuare a piantare, piantare, piantare.

Abbiamo già capito che l'esercito dei piantatori di semi e curatori di piante è una schiera di sognatori che non si abbatte davanti alle difficoltà. Ma nel verde privato, un po' realisti bisogna pur esserlo. Se avete un delizioso balconcino, non pretendete di impiantarvi una sequoia, non intestarditevi a possedere un'intera collezione di rose inglesi in parete verticale: sarebbe comunque scomodo andare a cogliere in freeclimbing i boccioli che spuntano vicino al soffitto.

Anche se devo ammettere che l'ultimo grido in fatto di tentazioni giardiniere è proprio il verde verticale, composizioni vegetali che sfidano le leggi di gravità e sovvertono i luoghi ordinati e scontati della tradizione. Non c'è più terra sulla Terra? Le città hanno inglobato ogni speranza verdeggiante? E allora cominciamo a usare le facciate delle case. E perché non la parete di un intero palazzo che ospita un museo?

Infatti il più interessante giardino verticale si trova a Parigi ed è la sede del rinomato museo delle arti e civiltà primitive, il Quai Branly: uno dei più riusciti esempi di queste composizioni in arrampicata. Il progetto nasce dalla collaborazione dell'architetto Jean Nouvel con il botanico Patrick Blanc. Insieme hanno realizzato un muro vegetale di 800 metri quadrati con 15.000 piante di 150 differenti specie provenienti da Giappone, Cina, Europa centrale e Stati Uniti. "Perché mai accontentarsi di far crescere le piante nella terra e in orizzontale? La natura non è così monotona."[20]

L'impatto è stupefacente, sembra di trovarsi davanti a un disegno astratto con mille tonalità di verde da cui emergono le finestre dell'edificio, occhi di vetro in mezzo alla natura. Da vicino si apprezza il lavoro di tessitura di specie diverse, in genere sempreverdi, sostenute da una struttura agganciata alla parete e fornita di un impianto di irrigazione interno per rendere autosufficiente l'intera opera.

Blanc, considerato l'inventore di questi giardini pensili, è un botanico francese appassionato di biodiversità, ricercatore presso il prestigioso CNRS, responsabile del laboratorio di Biologia vegetale tropicale all'Università di Parigi. Nonostante i titoli altisonanti, non è certo il classico accademico tutto biblioteca e microscopio. Sorriso aperto, perennemente abbronzato, con camicie che sembrano strappate dai suoi muri vegetali, Blanc è una specie di Indiana Jones alla conquista dell'ultima varietà di convolvolacee tropicali. Le sue spedizioni nelle giungle di mezzo pianeta sono memorabili: può rimanere appeso per giorni su una zattera-laboratorio a trenta metri d'altezza per studiare le piante che vivono nella parte più alta della foresta tropicale o inabissarsi nei luoghi più oscuri della Malesia per analizzare le caratteristiche di sopravvivenza del sottobosco locale. I suoi muri vegetali, più vicini a un'installazione artistica che all'idea classica di giardino, sono ormai richiestissimi e vantano numerosi tentativi d'imitazione.

Non contento delle sue "follie vegetali", il poliedrico botanico ha addirittura collaborato con lo stilista Jean-Paul Gaultier per realizzare un magnifico abito da sposa "total green" che ha sfilato con grande successo sulle passerelle parigine. Il modello, composto solo da piante di ogni specie, è forse l'unico abito da matrimonio finalmente riciclabile: se attentamente innaffiato e concimato si può conservare in balcone e può tornare utile nel tempo per altre cerimonie ufficiali. Blanc ha indagato a fondo le capacità di adattamento delle piante che vivono senza le radici in terra e si nutrono unicamente di acqua e sali minerali; le conosce talmente bene da trasformarsi in una di loro in un insolito monologo dal titolo *Il bello di essere pianta*.[21] Un libro curioso, in cui presta la voce a una sonerila, un tipo di piccola margaritacea che vive nel sottobosco tropicale. Questo l'incipit: "Cresco dunque esisto".

Naturalmente la sonerila, oltre a spiegarci come se la passa su una roccia nella profonda foresta della Malesia, esterna le sue critiche (più che motivate) all'intero genere umano: "Le enormi esigenze di cibo e fonti energetiche portano evidentemente gli Uomini a trasformare e a utilizzare tutto per i propri fini. Non si preoccupano, perché questa strana cosa che chiamano *intelligenza* dovrebbe conferire loro pieni poteri. Però potere e creatività non vanno d'accordo. Per me, l'intelligenza resta il talento meno importante".[22]

Per essere una pianta il ragionamento non fa una piega; d'ora in poi sarà difficile insultare qualcuno accusandolo di pensare come una patata.

Sulla scia dei paesaggi astratti di Patrick Blanc e dei suoi epigoni, la tentazione di misurarsi almeno con un muretto verdeggiante è irresistibile.

Senza volare troppo in alto, per evitare acrobazie da circo, possiamo però ispirarci ai suoi muri vegetali per installare un elegante separé sul terrazzo o addirittura un'intera parete vegetale all'interno della nostra casa. Ho già visto dei kit prefabbricati in vendita a prezzi stratosferici nei migliori *fleuristes* parigini; più semplicemente si può ricorrere al buon vecchio bricolage o a un aiutino dal fabbro di famiglia per metter su almeno un trabiccolo vegetale. Attenzione comunque all'irrigazione: dentro casa è sempre meglio innaffiare manualmente o buttarsi sulle nuove colture idroponiche per evitare di inondare l'appartamento di sotto e maledire il giardino verticale e tutti i paesaggisti trendy del creato.

## LE MANI NELLA TERRA

> Scava una fossa nel tuo giardino della grandezza che ti aggrada e dello strato di terra che ti occorra. Mettici sterco di vacca ben putrefatto fino all'altezza di due versiòk, su di essi metti altrettanta terra comune di

orto, poi mettici delle vinacce e sopra sterco di pecora, quindi quello di colomba e di gallina e ancora buono sterco di vacca. [...] E lascialo quindi per due o tre anni a marcire. Avrai una terra ottima che sarà adatta per ogni erba, fiore e albero.[23]

Così consigliava il giardiniere di corte di Caterina la Grande. Anche oggi si può sperimentare di tutto pur di essere all'ultima moda anche nel giardinaggio: piante sospese che si nutrono di flebo contenenti strane miscele chimiche o liane autoportanti che non vedono mai la luce; ma una cosa a cui non bisognerebbe mai rinunciare è un po' di vecchia sana buona terra. In vaso, sospesa nei cesti o in vaschette di plastica (per non appesantire l'impatto sul solito inquilino del piano sottostante), comunque sia, la terra è la vera protagonista di ogni slancio giardiniero. Come si può fare a meno del contatto con la terra, fonte di piacere e di orgoglio per chiunque pratichi questa passionaccia? Chi non ricorda la prima volta che ha immerso le mani in un sacchetto di terriccio universale umido e tiepido? Un ritorno al passato che ci riporta subito alla mente i castelli di sabbia che costruivamo da bambini in riva al mare, armati di paletta e secchiello. Sarà per questo che mi piace aggiungere conchiglie e sassi colorati intorno alle piante in vaso? Anche se possiedo un'interminabile serie di guanti da lavoro, "professionali-antispine" o "stupidi-floreali", alla fine mi ritrovo sempre a mani nude a rassettare, raspare e pestare la terra intorno a una pianta appena messa a dimora. A costo di giocarvi la french manicure fatta di fresco, la soddisfazione del contatto diretto con il terriccio è senza paragoni. D'altronde sono proprio le mani da "ortolana" a tradire Rossella O'Hara, quando cerca di infinocchiare Rhett Butler vestita da gran dama con l'abito ricavato dalla tenda di velluto verde di Tara. Ma il bellimbusto gradisce questo piccolo segno di vita sofferta, quindi, come si evince dalla storia, avere dimestichezza con la terra può tornare sempre utile nella vita.

Sulle qualità di terriccio da usare fioriscono disquisizioni accademiche interminabili. Ognuno consiglia diverse misture arricchite da tocchi personali che a volte suonano come la ricetta di una fattucchiera. E tornando alla manicure, non vi scandalizzate se vedete qualcuno spargere nei vasi in terrazzo schegge delle proprie unghie appena tagliate: le ossa e i loro derivati sono ricchi di nutrimento per la pianta, ma forse è meglio acquistare la cornunghia in commercio, se si vuole evitare il disgusto dei vicini.

C'è chi legge il futuro nei fondi di caffè e chi li scarica direttamente alla base delle rose. La varietà di usi e costumi è infinita e antica come il giardinaggio stesso. Ma, alla fine, un bel sacchetto di terriccio universale, concimato – quando serve – con del semplice stallatico, non si nega a nessuno e funziona sempre. Attenzione, però, a non farsi prendere da smanie e ossessioni che attecchiscono facilmente nell'animo del giardiniere neofita.

Un giorno, a causa di un ingorgo autostradale, ho aspettato con apprensione fino a tarda notte l'arrivo di un portentoso carico di concime stagionato a puntino, prezioso stallatico che mi era stato decantato come elisir di eterna rifiorenza da un vivaista esperto. In vita mia non ho mai aspettato con tanta trepidazione nessun fidanzato come ho fatto con quel quintale di merda di mucca. Ma vi assicuro, valeva l'attesa. Mentre non è certa la soddisfazione dopo un fastidioso e sospetto ritardo di un eventuale innamorato: purtroppo il concime per far crescere bene un rapporto di coppia non l'hanno ancora inventato, e quando l'amore viene aggredito da giovani infestanti, si sa, non c'è verso di farlo sopravvivere.

# 3

# LO SGUARDO

(COME RECUPERARE SE NON PROPRIO UN DIALOGO
ALMENO UNA SINCERA CHIACCHIERATA CON LA NATURA)

\* \* \* \* \*

*"Come faccio a spiegare a mia moglie che quando
guardo fuori dalla finestra sto lavorando?"*[1]

Joseph Conrad

Questa citazione di Conrad era la preferita del nostro regista e
sceneggiatore Dino Risi, che così spiegava il processo d'ideazione, una parte non indifferente quando si realizza un film. Prendersi del tempo per guardarsi intorno, annusare l'aria, dar corpo
ai pensieri inseguendo le nuvole è fisiologico. Anche il Creatore
per eccellenza deve aver scrutato il vuoto a lungo prima di inventarsi l'universo, infatti poi l'ha messo su in soli sette giorni. E
forse se rifletteva un po' di più gli veniva pure meglio.
Ogni giardiniere che si rispetti dovrebbe adottare questa massima di Conrad. Come faccio a spiegare che sto lavorando in
giardino anche quando, senza vanga né forbicioni, me ne sto
comodamente seduta al centro di un'aiuola con tanto di caf-

fettino e sigaretta? Impossibile capire al volo cosa vogliamo piantare e soprattutto dove. I più grandi errori sono dovuti alla fretta: mai farsi guidare dall'ansia di ficcare tutto in terra e procedere con l'annaffiatoio. Si dice addirittura che per completare un giardino siano necessari almeno sette anni! Questo dovrebbe essere il tempo giusto per dar modo alle piante di crescere, ambientarsi e stabilire chi vince e chi perde nell'eterna lotta del vicinato tra specie diverse.

Ora, senza per forza raggiungere l'optimum da manuale, io consiglierei comunque di prendere tempo e osservare. Cambiate posizione alla vostra seggiolina e osservate ancora. Osservate la mattina presto e poi il pomeriggio al tramonto, non trascurate di tenere sott'occhio le ore più calde, monitorate il giro del sole e le ombre naturali che si creano tra le piante, i muretti e le pareti. Lo stesso vale per un terrazzo o un balcone. Prima di riempire, contemplate. Alla fatidica domanda: "Quali sono alla fine le grandi qualità di un giardiniere?", il guru del verde Baraton risponde: "Le qualità di un giardiniere sono la capacità di osservazione, la pazienza e l'estro di concepire un giardino come un piatto".[2]

Non c'è dubbio che, tra le qualità più urgenti per affrontare la costruzione di uno spazio verde, il talento dello sguardo sia la più importante. Vi sembrerà la cosa più banale del mondo, eppure scopriamo che questo "senso", presso gli umani, ha subìto nel tempo una specie di mutazione.

Se guardiamo un panorama in TV lo ammiriamo estasiati, invece nel mondo reale siamo spesso distratti. Per catturare la nostra attenzione è ormai necessaria la mediazione di una telecamera o di un occhio meccanico di riserva. È capitato anche a me durante un viaggio nel bel mezzo della campagna francese, nelle splendide vallate dell'Oise, dove Jean-Jacques Rousseau si perdeva nelle sue estasi bucoliche. Anziché lasciarmi andare come novella Eloisa tra lo stormire delle fronde, mi sono ritrovata distratta a fissare la mappa satellitare sul mio iPhone che riproduceva malamente pixelato il paesaggio che avevo di fronte al naturale. La connessione non era costante e maledivo i conti d'Ermenonville e i loro discendenti, che non avevano protestato con il gestore telefonico locale per una ricezione migliore. Eppure l'albergo era un quattro stelle!

Come siamo ridotti? Cosa ci è successo?

Senza una cornice che definisca per noi una porzione delimitata di paesaggio su cui posare gli occhi ci sentiamo persi, privi di punti di riferimento. La natura è sconfinata, troppo aperta, la natura è troppo. Ci serve un succedaneo veloce per catalogare la nostra esperienza visiva. La fretta di avere subito un punto di vista, una sintesi prefabbricata, ci fa ricorrere allo sguardo digitale, che ormai abbiamo sempre a portata di mano, come stampella tecnologica per i nostri sensi in disuso. Ho visto onesti padri di famiglia in gita accanirsi con telefonini e macchine fotografiche per non perdere neanche un'inquadratura del luogo che stavano visitando, esausti, senza mai permettersi di alzare lo sguardo fino all'ultimo scatto, privandosi totalmente della visione d'insieme. Mi ritorna in mente il film *Fino alla fine del mondo* di Wenders,[3] dove la protagonista, dopo una serie di video-esperimenti per riuscire a registrare sogni, ricordi e pensieri, rimane sopraffatta da questa tecnica ossessiva e si aggira come una sonnambula con un piccolo schermo perennemente davanti agli occhi. È un'immagine che traduce poeticamente la nostra nuova cecità. Riacquistare la vista non è cosa da poco: non si può essere impazienti, è necessario tornare a far correre gli occhi a briglia sciolta insieme ai pensieri, finché saranno questi ultimi ad avere la meglio. Definitivo sulla nostra decadenza è il romanzo *Cecità* di Saramago:[4] un racconto che turba e fa star male perché porta alle estreme conseguenze questa deriva contemporanea.

Dobbiamo ritrovare il gusto di immergersi in un *luogo,* abbracciandolo completamente con lo sguardo. Non basta guardare, bisogna arrivare a vedere: questo è uno dei primi esercizi giardinieri che mi hanno insegnato, e devo dire che non serve solo per piantare qualche geranio, ma è salutare ad ampio spettro. Non voglio trasformarmi in una santona della meditazione né tanto meno invitarvi all'apertura del famoso terzo occhio, per questo ci sono ben altri scrittori e una caterva di libri. La pratica giardiniera tuttavia insegna che, se non tre, almeno due occhi ben allenati servono eccome. Un'esperienza indimenticabile nel mio lungo tirocinio di allenamento allo sguardo l'ho vissuta casualmente sulle montagne dell'Afghanistan, una trentina di anni fa, precisamente nella cittadina di Bamiyan, dove si ergevano i famosi Buddha giganti che la violenza talebana non aveva ancora raso al suolo. Erano una visione apocalittica: giganti di pietra a ridosso di colline rossastre che da millecinquecento anni spandevano la loro pace karmica sulla valle circostante. Ora al loro posto c'è un vuoto, una ferita nella montagna e nella cultura. Ma quando troneggiavano su Bamiyan e sembravano eterni, potevi addirittura scalarli fino in cima. Alle spalle della statua più alta c'era un piccolo ingresso che immetteva a una scala tanto ripida e impervia che anche un non fumatore arrivava in cima con il fiatone da torre di Pisa. Una porticina si apriva in una stanza che corrispondeva alla testa del Buddha e la vista che si godeva da lassù era mozzafiato. Era esattamente un terzo occhio aperto sul mondo. Almeno credo. Sarà stato il giramento di testa per la fatica o quelle strane sigarette profumate che a quei tempi in Afghanistan ti offrivano a ogni angolo di strada, ma vi assicuro che ammirare il paesaggio dal testone del Buddha è stata un'esperienza indescrivibile, "un flash pazzesco", come continuava a ripetere un anziano fricchettone della comitiva. Al di là della facile psichedelia occidentale, il percorso per arrivare in cima nascondeva un saggio insegnamento. Quel poco di stanchezza che si accumulava per la salita tortuosa ti obbligava a fermarti per riprendere fiato e l'osservazione era necessariamente meno distratta anche per il viaggiatore più frettoloso.

## LA SIEPE CHE DALL'ULTIMO ORIZZONTE IL GUARDO ESCLUDE

I paesaggisti cinesi sono sempre stati grandi maestri nel creare trucchi e magie per valorizzare il gusto dello sguardo e offrire visioni emozionanti anche agli uomini più refrattari ai richiami della natura. Le loro creazioni verdi prevedono spesso sentieri tortuosi, muri che chiudono la vista per poi aprirsi improvvisamente con squarci studiati, finestre che anticipano un luogo segreto del giardino dove arriveremo solo dopo una piccola serie di colpi di scena.

Per la cultura cinese il dialogo con la natura deve essere ininterrotto, e il giardino è il prolungamento di questo rapporto vitale. L'eccellenza del loro stile unico si trova nei giardini di Suzhou, non lontano da Shanghai, da poco inseriti nella lista del Patrimonio mondiale dell'UNESCO. Il Giardino dell'armonia, il Giardino della meditazione, il Giardino dell'umile amministratore, il Giardino del maestro delle reti, il Giardino del dolce oziare e il Giardino circondato dalla bellezza: solo ad ascoltarne i nomi si viene trasportati in uno di quei paesaggi disegnati con la china, un po' leziosi ma così romantici...

I giardini di Suzhou godettero del massimo splendore durante le due ultime dinastie Ming e Qing, fino all'inizio del Novecento. Oggi degli oltre trecento giardini privati dell'epoca ne sono rimasti appena una decina restaurati e aperti al pubblico, ma bastano per una visita incantevole.

Per la maggior parte furono realizzati da mandarini, alti dignitari di corte che sceglievano di trasferirsi in questa cittadina per godersi in pace gli ultimi anni della loro vita. Suzhou, città industriale della regione dello Jiangsu, è conosciuta tuttora come la capitale della seta. Nel 1276 anche di lì, naturalmente, passò Marco Polo, e rimase affascinato da laghetti e torrenti artificiali, padiglioni artistici e piccole colline costruite ad arte.[5]

Ogni giardino ha la sua storia. Per esempio, per completare il Giardino dell'umile amministratore, che tanto umile non doveva essere, considerato che è il più grande di tutti, occorsero al proprietario Wang Xianchen sedici lunghi anni, mentre il figlio riuscì a perderlo al gioco in una sola notte, torrentelli e bonsai compresi. Il mandarino Wang Xianchen amava rilassarsi durante il giorno in un padiglione particolare del suo giardino, un luogo appartato dove campeggia una scritta che ci chiede: "Con chi mi siedo?". "Co' chi te pare!" è stata la risposta che ho sentito arrivare alle mie spalle dall'onnipresente turista italiano che appare puntuale in ogni luogo dove siete fuggiti in vacanza, sia pur il più sperduto del mondo. La vera risposta è incisa in antichi ideogrammi e suggerisce più poeticamente di accomodarsi "con la luna e con il vento". Se il figlio dell'anziano dignitario avesse letto con attenzione questo invito a dialogare con la natura, invece che con le carte da gioco, non avrebbe spezzato il cuore del suo vecchio genitore. Ma chissà, forse il mandarino l'avrà costretto a zappettare le aiuole sin da quando era piccolo...

## TRASCURABILI MOMENTI DI FELICITÀ SILVESTRE

Anche quando siamo spinti dalle migliori intenzioni, è abbastanza difficile godere di un panorama o di un'opera d'arte, immersi nella nostra solitudine contemplativa. Esistono quasi sette miliardi di esseri umani sul pianeta, e una buona percentuale è sempre in movimento (specialmente i nostri compatrioti); abbiamo riempito di case, strade, persone e turisti quasi ogni angolo della Terra.

Abbiamo perso certe facoltà cognitive e stiamo perdendo anche i luoghi per esercitarle?

Cementifichiamo perché non siamo più in grado di vedere niente?

In compenso abbiamo sviluppato altre abilità, per esempio siamo diventati dei perfetti esseri digitanti: dateci una tastiera anche minuscola e vi porteremo in capo al mondo, ma non chiedeteci di fare due passi nel bosco fuori città, è infestato da zanzare tigre e la resina degli alberi s'incolla sulla carrozzeria della vettura posteggiata sotto le fronde e poi, sinceramente, all'aria aperta si suda. O c'è un vento fastidioso. La maggior parte dei miei amici è talmente inurbata che solo a sentir pronunciare "gita in campagna" gli viene un eritema solare. Troppo ossigeno gli spaventa i polmoni e se non godono dei loro "trascurabili momenti di felicità urbana" vanno fuori di testa e li può calmare soltanto una boccata al tubo di scappamento di un motorino smarmittato, come ci spiega il loro portavoce, lo scrittore Francesco Piccolo, uno degli uomini più refrattari alla natura che io abbia mai conosciuto. A mali estremi, estremi rimedi. Si potrebbe tentare una rieducazione forzata al dialogo con l'universo naturale rifacendoci ai drastici insegnamenti di uno dei pionieri in questo campo, Henry David Thoreau, scrittore americano vissuto nella prima metà dell'Ottocento, che per riconciliarsi con la natura andò a vivere completamente da solo in una capanna in mezzo ai boschi, osservando il cielo e conversando per due anni unicamente con volpi e castori, uscendone quasi indenne: "Andai nei boschi perché desideravo vivere con saggezza, per affrontare solo i fatti essenziali della vita, e per vedere se non fossi capace di imparare quanto essa aveva da insegnarmi, e per non scoprire, in punto di morte, che non ero vissuto".[6] *Walden* è un classico della letteratura americana, una specie di bibbia per chi, negli anni Settanta, volle sperimentare un ritorno alla natura senza se e senza ma. Alcuni, come sappiamo, hanno esagerato e li hanno ritrovati anni dopo ancora abbracciati a ulivi secolari, in attesa di risposte dallo spirito della corteccia, ma una percentuale di vittime nelle grandi rivoluzioni è sempre fisiologica.

## IL GIARDINO DEL BARONE RAMPANTE

La natura e le sue magie possono regalarci ancora molte risposte. Ne è convinto il nostro Thoreau italiano, un botanico ormai leggendario che andrebbe conosciuto di più nel nostro Paese, Libereso Guglielmi, più noto come il giardiniere di Italo Calvino: "Da bambino ho scoperto il valore della terra. L'ho imparato stando seduto con i vecchi della mia Liguria, seduti davanti alla porta di casa. O quando si andava in montagna con i muli. Non era, quello, un sapere preso dai libri. Non come oggi, che sono tutti botanici, che imparano qualcosa dalla televisione, da internet, e poi lo rielaborano a modo loro".[7]

Libereso, un nome insolito che gli fu dato dal padre, un anarchico tolstojano, vegetariano, ecologista *ante litteram* che credeva in un'umanità libera da ogni costrizione, anche linguistica; infatti studiava l'esperanto, e nella lingua creata per tutta l'umanità la parola Libereso vuol dire "assolutamente libero di pensiero, parola e azione".

Libero e indipendente Libereso lo è ancora oggi che è un bellissimo ultraottantenne con una criniera bianca da re leone e un sorriso che si intenerisce quando racconta com'era la Riviera ligure diversi anni fa, quando, come giovane stagista, collaborava con Mario Calvino, padre di Italo, botanico di fama internazionale e direttore della Stazione sperimentale per la floricoltura a Sanremo. "Era un grand'uomo Mario Calvino. Come conosceva le piante lui: ogni specie di avocado e di pompelmo, per esempio. Le ha portate lui per la prima volta in Italia e ci ha insegnato come curarle e come usarne le proprietà salutari [...], poi partiva con un carretto pieno di libri e andava in montagna a distribuirli per insegnare alla gente la floricoltura."[8]

Libereso oggi è uno dei più grandi esperti italiani di flora spontanea; la sua conoscenza botanica è immensa, ha viaggiato per le foreste e i boschi di mezzo mondo e non c'è segreto vegetale che non conosca. La sua vita sembra un romanzo, e sicuramente ne ha ispirato qualcuno all'amico Italo.

Quando, quindicenne, Libereso inizia a collaborare con Mario Calvino, il figlio Italo ne ha diciassette "e per dieci anni siamo cresciuti insieme: io nel giardino e lui a scrivere".[9] Coltivano passioni opposte. Italo vuole scrivere e fare il giornalista, così ingaggia furiose battaglie con il padre, che lo vorrebbe professore di Botanica come lui e come la madre Eva Mameli, la prima donna a conquistare una cattedra universitaria in questo campo.

Mario ed Eva, prima che a Sanremo, hanno vissuto a Cuba, dove Italo è nato. La loro passione botanica si scatenò subito con le palme, che poi importarono nella città ligure, nel loro straordinario giardino sperimentale. Così Libereso ricorda Villa Meridiana a Sanremo, uno dei centri di floricoltura più importanti d'Italia, nonché casa di Calvino: "Alla Meridiana c'erano settemila metri quadrati di giardino con piante tropicali di ogni tipo portate da Mario Calvino da Cuba, dal Messico, dalla California, dall'Ecuador. Una vera meraviglia. Poi, quando Mario è morto (nel '51), tutto è stato venduto e ora sui resti di Villa Meridiana c'è un parcheggio. Resta solo l'albero di falso pepe che ispirò *Il barone rampante*. Che spreco! E pensare che si sarebbe potuto farne un luogo di studio e di lavoro unico in Europa".[10]

Italo non volle seguire le orme paterne, ma i suoi romanzi furono fortemente influenzati dal mondo botanico familiare e dall'amico giardiniere. È di Libereso, per esempio, l'idea che si potesse andare da Sanremo a Nizza saltando da un albero all'altro senza mai toccare terra, e infatti proprio così vive Cosimo, il protagonista del *Barone rampante*.[11] Un bel giorno il barone decide di vivere sugli alberi e non scendere mai più. E visto che la Terra era ancora fitta di piante, riuscì a viaggiare, innamorarsi e morire senza mai allontanarsi dalle fronde e dai rami. "Tra i personaggi del *Barone rampante* ci sono anch'io: noi ragazzi saltavamo veramente da un pino all'altro, di ramo in ramo, per raccogliere le pigne. Nonostante la qualità meravigliosamente visionaria dei suoi racconti, in fondo, tutti i personaggi di Calvino sono persone reali e io li ho conosciuti:

*"Tra i personaggi del* Barone

rampante *ci sono anch'io:*

*noi ragazzi saltavamo veramente*

*da un pino all'altro, di ramo in ramo,*

*per raccogliere le pigne."*

il visconte dimezzato era un suo zio, dal carattere molto mutevole. Era capace di dirmi: 'Va', va' a mangiare la frutta' e poi, dopo che l'avevo presa: 'Ma cos'hai fatto? Hai mangiato la frutta?'. Italo era un grande osservatore, ci veniva dietro sempre con un suo libriccino, io non pensavo che annotasse tutto e invece... mi ha anche descritto perfettamente nel racconto *Un pomeriggio, Adamo*: la storia di un giovane giardiniere anarchico che offre come regali preziosi ragni e lumache."[12]

Grazie a un altro grande giardiniere, Ippolito Pizzetti, e al suo libro *Libereso, il giardiniere di Calvino*,[13] noi abbiamo avuto la possibilità di saperne di più di questo piccolo genio italiano della conoscenza botanica, filosofo precursore dell'ambientalismo che oggi, benché in pensione, non demorde e insegna ai bambini le meraviglie della natura, di quel che ne rimane, vista la cementificazione incessante a cui ha assistito.

Ma il nostro Libereso non vive di nostalgie, è un combattente del verde, ricco di idee e progetti che espone con passione a ogni incontro pubblico che accetta con generosità. Altrimenti lo potete trovare nel suo piccolo giardino in mezzo ai palazzoni sanremesi, uno spazio incantato, fitto di vegetazione che il nostro botanico ha portato da tutte le parti del mondo, proprio come faceva il suo maestro Calvino.

Ha un'infinità di storie meravigliose e mille consigli pratici da svelare, le sue conferenze sul mondo naturale sono degli happening e si concludono regolarmente con un banchetto a base di fiori e virgulti. Quando Libereso ti mostra le sue piante le accarezza, ci parla e poi, come il barone, se le mangia! Normalmente noi consideriamo il nostro giardino solo dal punto di vista decorativo e invece nasconde gustose sorprese, veri doni per il nostro palato. "Oggi si consumano pochissime specie vegetali e ci perdiamo un'infinità di sapori. Almeno trecento. È buona l'*Alstroemeria*: si mangiano i getti nuovi come asparagi, insieme con le patate. È buono il *Tropaeolum*: i fiori si mettono in insalata, i boccioli si usano come capperi. Della *Calendula* si mangiano i germogli come verdura, mentre i fiori si mettono in alcol e se ne ricava un linimento [...] E il fiore d'*Abutilon*, squisito! Togli stami e pistillo e riempi la corolla con il gorgonzola [...] Le foglie di *Philadelphus* hanno il gusto di cetriolo, mentre quelle di *Plantago major* sembrano porcini."[14]

Fondamentali i suoi libri di ricette,[15] che comprendono anche uno squisito pan di Spagna con petali di diverse varietà di rose. Sull'onda dell'entusiasmo, ho creato un'insalata "alla Libereso" con lattuga e viole del pensiero blu: indimenticabile. L'esperto francese Alain Baraton ci consigliava di costruire il giardino come un piatto, una composizione estetica e armoniosa ricca di generi e colori differenti; Libereso va oltre, ci invita a fare un giardino e poi a metterlo direttamente nel piatto per mangiarcelo con gusto. Il messaggio è: se non riuscite più a vedere la natura con gli occhi, provate almeno a riconquistarla con il palato.

## APPENDICE VELENOSA

Non vorrei che nell'entusiasmo bucolico cominciaste a fare man bassa di bacche e radici colte dove capita nei giardini del vicinato. Seguite sempre con accortezza i consigli di chi è più esperto di voi, perché la natura può rivelarsi una matrigna perfida e assassina. Ce lo ha dimostrato Uma Thurman nella sua malefica metamorfosi in Poison Ivy (Edera velenosa), nemica giurata di Batman: combatte con le armi della seduzione ma purtroppo il suo bacio alla clorofilla avvelenata è letale e schianta ogni spasimante.

Amy Stewart, nel suo libro *Wicked Plants*,[16] ci racconta con una preziosa aneddotica l'altra faccia, meno innocente e più pericolosa, delle piante che ci circondano. Non bisogna andare nella giungla per incappare nella bacca assassina, tante minacce si nascondono proprio dietro casa.

Il suo libriccino sembra un film horror vegetariano e ci fa scoprire atrocità botaniche che non conoscevamo. Il mite oleandro, che troneggia in tutte le autostrade italiane, pianta banale e perfino un po' scema, nasconde veleni mortali. Mai cianciarne una foglia in bocca distrattamente mentre riposate nella piazzola di sosta dell'autogrill: il buon vecchio arsenico farebbe un lavoro più delicato. Nell'arco di pochi minuti potreste stramazzare al suolo stecchiti, ironia della sorte, uccisi da un cespuglio insulso che non vi ha mai entusiasmato.

Le piante velenose hanno un ruolo degno di nota nei miti e nelle leggende dell'umanità. La mandragola, per esempio, una solanacea dall'aspetto innocuo, fu spesso utilizzata per sconfiggere nemici e traditori; addirittura Annibale la usò per uno scherzetto mortale a Cartagine. Lo scaltro condottiero simulò un abbandono di campo lasciando incustoditi litri di vino "dopati" alla mandragola alla mercé dei guerrieri africani, che si ubriacarono allegramente e caddero al suolo, in un sonno profondo come la morte. Annibale ne approfittò nottetempo per sterminarli tutti senza neanche la fatica di combattere.

Più romantico, ma non meno drammatico, l'uso di questa pianta nel finale di *Romeo e Giulietta*, la tragedia più struggente che l'umanità ricordi. Romeo, vedendo Giulietta esanime, si convince che il potente veleno l'abbia uccisa davvero: "Amore mio, mia sposa! La morte, che ha già succhiato il miele del tuo respiro, nulla ha potuto sulla tua bellezza. Ancor sulle tue labbra e le tue guance risplende rosea la gloriosa insegna della bellezza tua: su te la Morte non ha issato il suo pallido vessillo…".[17]

> *"Ancor sulle tue labbra e le tue*
> *guance risplende rosea la gloriosa*
> *insegna della bellezza tua."*

Meravigliosa metafora poetica per spiegare a Romeo che in realtà la sua amata è solamente caduta in un coma simile alla morte grazie ad atropina, ioscamina e scopolamina presenti nella mandragola.

Non si è mai capito bene perché il prode Romeo non aspetti un attimo prima di farla finita: non avevano deciso insieme di inventare qualche trucco per ingannare il mondo? E allora non poteva chiedere spiegazioni a frate Lorenzo prima di far precipitare gli eventi? Devo confessarvi che ho sempre pensato che Romeo non fosse una cima: il classico bellone insipido, un bamboccione da cui era meglio tenersi alla lontana. Ora, se Giulietta dopo essersi svegliata dall'effetto mandragola e dopo aver constatato la vera morte del suo partner se ne fosse scappata a gambe levate da quel sepolcro sfigato, la sua vita sarebbe stata di certo migliore, ma avrebbe danneggiato seriamente la carriera di Shakespeare perché la tragedia ha le sue regole, e la giovane Capuleti non poteva sopravvivere al suo tenero amante. E così, per un equivoco causato dalla pianta malefica, muoiono avvelenati entrambi, uno nelle braccia dell'altra.

A chi fosse appassionato di deviazioni vegetali, la nostra esperta Amy Stewart consiglia una gita all'Alnwick Poison Gardens,[18] nella contea di Northumberland, in Inghilterra. Intorno al lugubre castello dove è stato girato *Harry Potter* si può visitare un giardino con un'invidiabile collezione di piante velenose e assassine: dall'*Eupatorium rugosum* all'*Hippomane mancinella*.

Inutile dire che tra le siepi, in bella vista, campeggia il cartello: "Guardare e non mangiare. Queste piante possono uccidere".

## LE SCALATRICI

La lezione dei giardini cinesi è un arricchimento indispensabile per ideare uno spazio verde. Una vera ispirazione per qualunque apprendista giardiniere.

Non spaventatevi, non dovete per forza costruire torrenti, ponti sospesi e padiglioni con lanterne rosse, lasciamo a ognuno le sue tradizioni; spesso, se importate di sana pianta, certe delizie si trasformano in "cineserie" kitsch, il tipico incubo da indigestione di involtini primavera. Potremmo invece farci stimolare dalla filosofia e dalla saggezza che si nascondono dietro la progettazione di questi spazi studiati per diversi scopi, dalla meditazione alla socialità, dalla solitudine alla poesia. Luoghi appartati e luoghi pubblici che scandiscono attività e momenti diversi della giornata senza trascurare il piacere di sorprendervi con la scoperta di un angoletto inaspettato.

Ci sono degli accorgimenti, facili da mettere in pratica, che possono trasformare uno spazio piatto e senza magia in un giardino incantato. Quando ci troviamo davanti al solito rettangolone, che sia un terrazzo, un pezzo di terra o persino il classico balcone-corridoio che gira intorno casa, secondo me il primo pensiero dovrebbe essere: come posso spezzarlo? Ovvero come interrompere la monotonia delle linee dritte, geometriche e prevedibili? Naturalmente tutti i gusti sono ammessi, la ricca storia del giardinaggio prevede anche le enormi spianate alla Versailles, ma per la mia esperienza è sempre meglio creare delle quinte verdi, dei passaggi forzati, schermare alla vista una porzione seppur piccola e lasciarla poi scoprire attraverso un percorso inventato con l'aiuto di vasi e di piante più fitte. In poche parole perfino in giardino vale la regola del "vedo e non vedo" che è da sempre l'ABC della seduzione. Fascino e mistero: andate sul sicuro e all'occorrenza nascondete alla vista l'angolo delle scope.

E non abbiate paura di sacrificare spazio, di rimpicciolire i vostri possedimenti. In realtà non esiste grande senza piccolo, come ci insegna il poeta cinese dei giardini, l'architetto Tong Jun, studioso e storico della raffinata arte dei parchi della regione di Jiangnan: "La magia del design di un giardino risiede nell'interazione tra illusione e realtà, il contrasto tra il grande e il piccolo, e l'equilibrio tra l'alto e il basso".

Filosofia, quella del gioco degli opposti, che si ispira al taoismo e ripresa anche dai dettami della pittura cinese: "Audacia con l'inchiostro e prudenza con la pennellata".

Non spaventatevi davanti a tanta saggezza, la traduzione in "giardinese" vuol dire: amate i contrasti, lasciatevi andare agli opposti che da sempre arricchiscono il mondo.

"Come la lucertola è il riassunto del coccodrillo, così il giardino aspira ad essere il riassunto della natura." E in natura, allo stato spontaneo, le piante si muovono e prendono possesso degli spazi in maniera più sorprendente di quando sono costrette dalle cesoie dell'uomo.

Anche il paesaggio nostrano ci offre di continuo degli spunti: un tronco ricoperto d'edera in mezzo a un campo o un'ipomea selvatica che ricopre un muretto a secco sono esempi da tener presente quando vogliamo dare naturalezza al nostro spazio all'aperto. Per separare gli ambienti e creare un po' di mistero basta realizzare quinte e separé: non c'è bisogno di scomodare una quercia secolare o un pesante cespuglio vigoroso, è sufficiente un vaso con rampicante e sostegno incorporato; lo potrete spostare facilmente per creare come più vi piace i vostri rifugi segreti. Protagoniste indispensabili di queste schermature sono naturalmente le piante rampicanti. Dall'edera alla rosa, io ho sempre nutrito una passione insana per le scalatrici. Sono affascinata dalla testarda volontà che le spinge a salire in freeclimbing e raggiungere qualsiasi meta. Le vorrei sempre tutte, dalla vite americana, che si arrossa in autunno, alla delicata *Clematis* dai rami inesistenti e dai fiori clamorosi. Senza trascurare le passiflore, che con i loro peduncoli avvitati riescono ad attaccarsi ovunque e, se non state attenti, vi si avviluppano a un piede mentre le annaffiate. Uno dei cataloghi più belli di passiflore, ricco di tutte le varietà multicolori provenienti dal Brasile, lo possiede il vivaio Tropicamente,[19] in quel di San Francesco al Campo (Torino), terra apparentemente non proprio adatta alle piante subtropicali. Eppure Lucia Barabino, che lo gestisce con cura e passione, riesce ad "addomesticarle" e spedisce i suoi esemplari con un perfetto packaging, tanto che vi arrivano freschi e riposati come se avessero sempre vissuto nella foresta amazzonica. Non chiedetemi come fa... Forse la risposta risiede ancora una volta nella secolare saggezza cinese: "Tutti i giardinieri la sanno più lunga degli altri giardinieri".

## SOL Y OMBRA

"Perché è scomparso il piacere della lentezza? Dove mai sono finiti i perdigiorno di un tempo? Un proverbio ceco definisce il loro placido ozio con una metafora: essi contemplano le finestre del buon Dio. Chi contempla le finestre del buon Dio non si annoia; è felice."[20]

*Milan Kundera,*
La lentezza

Vi avevo lasciato seduti sulla seggiolina a osservare con determinazione kunderiana il vostro spazio in attesa di intervenire, come un pittore scruta una tela bianca prima di prendere in mano i pennelli o come un cane punta all'infinito una mosca prima di attaccarla.

Se avete messo radici a forza di aspettare questo famoso sguardo interiore ma continuate a vedere solo un buco vuoto che chiede di essere riempito di piante, non scoraggiatevi, almeno una cosa l'avrete capita: l'esposizione. Segreto universale del buon giardiniere è mettere a dimora le piante giuste, al posto giusto, seguendo le ferree regole dell'esposizione.

Anche se i manuali si sperticano in spiegazioni dettagliate sulla vegetazione da ombra e quella da pieno sole, la tentazione di sovvertire le regole e fare come ci pare è sempre in agguato. Il mio primo fallimento climatico appartiene a un periodo ormai lontano nel tempo, quando ho cercato di far fiorire, con un'insensata ostinazione, un rododendro in pieno sole, dopo averlo ficcato a forza dentro una spianata argillosa (avete presente quella terra che quando la prendete in mano la potete modellare come se fosse DAS? Quella!). Era un bellissimo esemplare a cui avevo affidato i miei primi sogni giardinieri. Lo volevo lì a tutti i costi, nel lembo estremo del giardino all'entrata della casa, proprio per dare il benvenuto a ospiti e passanti. Invece ho dovuto assistere alla sua lenta agonia, tra l'imbarazzo dei conoscenti che hanno subito messo in dubbio le mie capacità in materia. Lo sfortunato cespuglietto aveva bisogno di ombra, acqua e terreno acido, ma io questo ancora non lo sapevo e l'ho condannato a morte certa, dopo una breve vita di stenti.

È risaputo: gli errori sono fondamentali in giardino e ci aiutano a migliorare sempre di più, ma certi drammatici episodi primari lasciano traumi profondi che non si superano facilmente. Io non sono mai più riuscita ad avere un buon rapporto con i rododendri. Ho bellissime camelie, azalee e gardenie profumate... ma con i rododendri non ce la faccio. Ogni tanto ci riprovo, confidando nella saggezza degli anni, ma regolarmente dopo una prima fioritura cominciano a dare quei segni di stitichezza e seccume che preludono al solito tracollo: si vede che sentono la mia difficoltà e si suicidano per farmi rabbia.

Per fortuna la flora è così ricca di possibilità che si può sopravvivere benissimo anche senza rododendri; che si secchino in massa, i maledetti! Una vecchia regola dello spettacolo ci ricorda che non si può piacere a tutti e vale perfettamente anche per le piante.

Rododendri a parte, se volete che qualcosa attecchisca bisogna sottostare con umiltà alle regole fondamentali del sole e dell'ombra.

Non c'è clima o esposizione che ostacoli la realizzazione di un giardino; solo la nostra testardaggine a mettere a tutti i costi le piante nei punti sbagliati può impedirci di ottenere buoni risultati. In ogni catalogo che si rispetti, ma anche su una semplice bustina di semi, troverete sempre il simboletto del sole ad avvertirvi delle esigenze del futuro abitante del vostro spazio verde: se il sole è tutto nero implica ombra assoluta e se è bianco viceversa.

Sembra un gioco da ragazzi ma, ve l'ho già detto, nel giardinaggio come nella vita non esistono solamente il bianco e il nero. D'accordo, le rose vogliono il sole, ma quanto sole? Per quante ore? E in Inghilterra vale lo stesso simboletto che per il basso Mediterraneo? E l'ombra per le ortensie come deve essere? Rada, fitta, nera o luminosa? Una piccola furbizia che ho imparato dopo svariati insuccessi è quella di piantare sempre gli esemplari più a rischio prima in vaso; anche se avete a disposizione ettari di terra, fategli fare prima un giro in un contenitore. Le prove di acclimatazione sono molto utili per poi procedere al trapianto finale. Vi servirà anche per studiare l'effetto di gruppo con il resto della popolazione vegetale. Io con le piante faccio un po' come con i mobili in una casa nuova: sposto e guardo. Poi risposto e guardo ancora, e ancora. Fino a che vengo mandata a quel paese da chi mi sta aiutando. Ma, al contrario dei mobili, le piante sono vive e questi traslochi non vanno ripetuti in eterno, perché ogni volta che le trasferite, le poveracce, sono costrette a riorientare le foglie verso la luce, operazione lentissima e molto faticosa che, a detta dei botanici, le stressa parecchio. Purtoppo le piante non possono parlare per dircelo di persona, anche se noi proviamo a intavolare una conversazione. Almeno mia madre lo faceva: parlava sempre con i suoi gerani. Mi ricordo che la mattina appena sveglia usciva in balcone ancora in vestaglia e mentre toglieva qualche fogliolina secca chiacchierava amabilmente con i fiori; sono cresciuta credendo che fosse una cosa normalissima, ma in effetti non ho mai sentito una pianta risponderle.

北千里
山田
南千里
千里山
関大前
豊津
吹田
下新庄
淡路
柴島
阪急千里線
桃山台
緑地公園
江坂
東三国
新大阪
西中島南方
中津
梅田
西梅田
野田阪神
玉川
肥後橋
淀屋橋
堺筋本町
谷町四丁目
日本橋
北浜
天神橋筋六丁目
中崎町
東梅田
扇町
南森町
都島
野江内代
関目高殿
千林大宮
関目成育
蒲生四丁目
京橋
鴫野
今福鶴見
横堤
太子橋今市
清水
新森古市
鶴見緑地
守口
大日
だいどう豊里
瑞光四丁目
井高野
上新庄
相川
正雀
南茨木
茨木市
総持寺
富田
高槻市
長岡天神
嵐山
桂
西院
大宮
大阪ビジネスパーク
長田
荒本
吉田
ZEN GARDEN
ZEN GARDEN

# 4

# LA PAZIENZA GIARDINIERA

* * * * *

*"Il 'valore' non è vedere una pianta al massimo della sua crescita ma conoscerla fin dalla nascita: è come per i bambini, è bello vederli crescere, sorridere alla vita..."*[1]

Libereso Guglielmi

La similitudine poetica del nostro Libereso ci aiuta a capire la tanto celebrata "pazienza" nel giardinaggio. Sognare, immaginare e attendere sono regole fondamentali per il giardiniere che vive in un'utopia quotidiana, con un occhio rivolto al presente e l'altro già proiettato alle prossime fioriture. Tirare su una pianta dai suoi primi vagiti vi dà più garanzie ed è un'esperienza emozionante. Saper aspettare è la famosa pratica zen che tanti decantano, ma pochi sono in grado di attuare, io per prima. Se a una mostra di piante tropicali incappiamo in un gigantesco esemplare di filodendro in saldo, come resistere alla tentazione? Chissà da dove è stato estirpato e se sopravviverà al trauma, ma a costo di legarlo sul tettino della macchina facendolo sporgere di qualche metro saremo capaci di trascinarcelo a casa senza remore, costi quel che costi, multe comprese. Il giardiniere assatanato è un essere pronto a tutto pur di soddisfare le sue ansie di possesso. Non siamo belle persone quando ci prendono questi raptus, altro che amore universale ed equilibrio del cosmo. Ma quale appassionato non è stato vittima di deliri e manie di grandezza? Secondo me anche il pacatissimo paesaggista inglese Russell Page, nonostante il suo umile amore per le violette e la sobria giacca di tweed, avrà ceduto alla tentazione di comprare di nascosto qualche "mostro" da vivaio di lusso.

Tentiamo almeno di conciliare, di diversificare l'insaziabile appetito di novità con la conquista dell'attesa. Con il tempo le vere soddisfazioni arriveranno sempre dalle piante che abbiamo cresciuto, di cui possiamo raccontare la storia; virgulti che abbiamo soccorso nei momenti di difficoltà e che ce l'hanno fatta a sopravvivere. Alberelli che si scorgono nelle foto di famiglia sempre più alti, insieme ai bambini che sono diventati adulti.

"La pazienza è amara, ma il suo frutto è dolce." Così diceva Jean-Jacques Rousseau. Chi può insegnarci oggi a coltivare la "pazienza del giardiniere" è un grande maestro di questa virtù, il paesaggista Paolo Pejrone, che, con la sua esperienza, ci conferma che esercitando questa "lentezza" potremmo provare a rivoluzionare anche le nostre abitudini quotidiane e modificare almeno in parte il rapporto malato che abbiamo con il tempo. "La vita del giardiniere è scandita da accelerazioni e da pause. [...] E se la

> *"La pazienza è amara,*
> *ma il suo frutto è dolce."*

passione ne può muovere le intenzioni, la pazienza giustamente ne può far crescere le speranze, ne attenua le tristezze, ne regola i risultati."[2]

X Risultati anche piccoli, a volte infinitesimali, che è una gioia monitorare quotidianamente. Alzarsi un po' prima la mattina e fare con calma un giretto nei propri "possedimenti" verdi, passando in rassegna le truppe vegetali, è il modo migliore per iniziare la giornata. Lì è nata una fogliolina, là sotto ha attecchito una talea, dopo tre anni di capricciosa astensione il glicine bianco ha finalmente deciso di fiorire. Si esce di casa commossi, con un sentimento di bontà e partecipazione al grande disegno universale che non svanisce alla prima molesta suonata di clacson nel traffico.

## LA PAZIENZA DELL'AGAVE

"La velocità è la forma di estasi che la rivoluzione tecnologica ha regalato all'uomo."[3]

*Milan Kundera,*
La lentezza

Un'estasi drogata ci ha abituato a un'accelerazione esponenziale. Più otteniamo e più pretendiamo. La nostra nozione

95

del tempo è incredibilmente cambiata e un esempio lampante ci viene dal rapporto con il computer. La capacità di attesa media davanti a uno schermo è sempre più breve, non sopportiamo un ritardo di pochi secondi. Se in navigazione una risposta non ci arriva subito, cominciamo a sbuffare, a smanettare con il mouse, a picchiare sui tasti come ossessi: eppure ci stiamo collegando con l'altra parte del mondo, magari pure in video. Un miracolo tecnologico che ci risparmia ore, giorni, mesi di una volta, ma non possiamo più aspettare una manciata di secondi per goderne i benefici. Ormai siamo abituati così ed è sempre più difficile fare un passo indietro. Zappettare e seminare ci aiuta a riconsiderare il nostro rapporto con il tempo solare che, per quanto continueremo a evolverci, sarà sempre connesso con il susseguirsi delle stagioni e con il ritmo della Terra (almeno fino a che non la devasteremo definitivamente).

Per una rieducazione forzata alla pazienza consiglio sicuramente la coltivazione della pianta dell'agave, che mette a dura prova la tempra del più navigato dei giardinieri; infatti la fioritura di questa varietà non avviene mai prima dei quindici, vent'anni! E una volta conclusa l'esibizione di questa sorta di candelabro gigante costellato di ventimila infiorescenze giallognole super profumate, la pianta, stremata dal fuoco d'artificio, si accascia e muore. Mai allontanarsi per qualche giorno se avete puntato tutto su questo spettacolo, perché avviene una sola volta nella vita della pianta. Per fortuna la generosità dell'agave non si limita a questo exploit, ma dà sfoggio di altre pregevoli qualità. Originaria del Messico, si è però naturalizzata facilmente nel bacino del Mediterraneo, dove la vediamo spesso fare capolino dai tradizionali vasi sulle colonne dei cancelli o in cima alle terrazze assolate del nostro Sud (si dice che tenga lontani gli spiriti maligni). Le sue foglie carnose trattengono l'umidità e richiedono pochissime cure: di fatto è lei che ci cura, già migliaia di anni fa gli Aztechi la consideravano la pianta degli dèi perché dava origine all'acqua che quietava la tristezza degli uomini e delle donne.

Possiamo azzardare che l'agave equivale, nel mondo vegetale, a quello che il maiale rappresenta nel mondo animale: come del suino, così di questa pianta non si butta via niente. Con gli aculei e la fibra delle foglie si ottengono utilissimi aghi da cucito con tanto di filo già incorporato, ottimi per chi non riesce a beccare mai la famosa cruna. Dalla polpa si estraggono vari preparati per creme di bellezza, e dalle radici la materia prima per preziosi medicamenti. Per non parlare poi del liquido zuccherino: un dolcificante naturale che non mortifica la linea e non pesa sul colesterolo. Ma il colpo di scena arriva con il distillato dell'agave della varietà blu, da cui si produce la micidiale tequila. Questo potente liquore si ricava solo da piante mature, naturalmente prima che stiano per fiorire; quindi bisogna aspettare appena una decina d'anni per ottenere il succo che poi andrà comunque invecchiato nelle botti per altro tempo ancora. Più di un decennio per produrlo e una manciata di minuti per prendere l'ubriacatura più memorabile della vostra vita: ciucca meritata per aver aspettato tanto. Come vedete, la pazienza giardiniera è sempre ricompensata. Se non volete affrontare questa prova estrema con la lentezza dell'agave, esercitatevi almeno in attese più abbordabili. Per esempio: saremmo in grado di rinunciare alle fragole coltivate in serra in Paesi lontani, che si proiettano rosse e senza macchia sulle nostre tavole durante un febbraio ancora innevato? La risposta è dentro di voi, ma purtroppo "è sbagliata", come diceva il mio santone di riferimento.[4] Aspettare fino alla piena maturazione del campetto dell'ortolano sotto casa, o della cooperativa fuori città, è sempre più difficile, eppure il sapore delle fragole di giugno è proprio quello di fragola, mentre le "marziane" invernali sanno di zucca acquosa. Ma non c'è niente da fare, l'impazienza è il nostro lusso moderno. Una volta l'erba voglio non cresceva neanche nel giardino del re, oggi è un'infestante.

## BULBI IN DOLCE ATTESA

"Marzo: mese di attesa.
Le cose che ignoriamo [...]
Sono in cammino".[5]

*Emily Dickinson*

## *"Sono cresciuta in giardino [...] con le mani nella terra."*

La poetessa Emily Dickinson ha abitato tutta la vita ad Amherst, nel Massachusetts. Il mito letterario ce la descrive come una donna fragile, incline alla solitudine, perennemente vestita di bianco. Si dice che non abbia mai lasciato la torretta della casa paterna, dove trascorreva il tempo componendo poemi che abbiamo conosciuto solo dopo la sua morte, perché Emily aveva chiesto che venisse buttato ogni suo scritto. Ma per fortuna la sorella Vinnie con le poesie non ce l'ha fatta, ha conservato e pubblicato tutto: noi gliene siamo grati. "La pazza dell'ultimo piano", ossessionata da mille fobie: così la tramandano le leggende. Ma una biografia, *Emily Dickinson's Gardens*, a opera di una scrittrice giardiniera, Marta McDowell, ci restituisce un'immagine più ricca e interessante della vera Dickinson. Emily, più che nel chiuso della sua torre d'avorio, stava volentieri all'aria aperta nel suo rigoglioso giardino, inginocchiata nel fango a piantare bulbi per le stagioni a venire. Oppure, nel calore della sua serra, si occupava delle pianticelle più delicate, oleandri e melograni, al riparo dai rigori invernali. Prendersi cura delle sue piante, compagne di vita e protagoniste delle sue poesie, è stata per lei un'attività quotidiana fonte di grande felicità: "Sono cresciuta in giardino [...] con le mani nella terra".[6]

Il giardinaggio ce la presenta meno eterea e folle: ossessionata sì, ma dalla fioritura dei suoi giacinti. Se sua madre aveva vinto dei premi grazie agli speciali alberi di fico che producevano frutti nettarini, Emily invece adorava le piante da bulbo. "Ho sempre amato pazzamente i bulbi, considerata pericolosa dai miei amici, perché le proprie pazzie è meglio non renderle note."[7]

Come non essere d'accordo? Sia sulla pazzia sia sui bulbi, meravigliosi cipolloni informi da cui per incanto, a tempo debito, nascono fiori strepitosi. Tulipani, giacinti, fritillaria e narcisi si piantano in autunno e rimangono in letargo sottoterra fino alla fioritura primaverile. Bisogna solo aspettare che il tempo faccia la sua parte per assistere alla magia. La neve li ricopre, il gelo li tempra e lentamente avviene la metamorfosi. Però consolatevi, nessuno è senza macchia, nemmeno la posata Dickinson, che dell'armonia con la natura aveva fatto uno stile di vita. Infatti scopriamo che qualche traccia di impazienza l'ha dimostrata anche lei, visto che era dedita, così ci racconta la McDowell, al tradizionale metodo della forzatura, che costringe i bulbi ad affrettare i tempi, regalandoci fioriture fuori stagione. Se, come Emily, non ce la fate ad aspettare il naturale corso degli eventi, potete costringere i vostri bulbi all'anticipo tanto agognato usando vecchie tecniche fondate sull'inganno: basta far credere ai poveretti, con perfidi accorgimenti, che è già arrivato l'inverno freddo e buio. Alla fine dell'estate provate a metterli per un mese in frigorifero dentro un sacchetto di carta; poi, dopo averli freddati per bene, verso metà ottobre li poggiate a testa in su dentro un bicchiere pieno per metà di sassolini e acqua, conservandoli ancora al buio, ma a una temperatura superiore. Quando finalmente hanno radicato, si possono spostare al caldo e alla luce, vicino a una finestra dove finalmente, stremati ma puntuali, fioriranno anzitempo dentro casa. È una piccola trasgressione che conferma la regola dell'attesa; un regalo di Natale per tutti i giardinieri insofferenti che non vogliono adeguarsi al lento cadenzare delle stagioni. Contrappasso: i bulbi forzati sono quasi sempre inutilizzabili per il futuro, spremono tutte le loro energie per andare contronatura e lei li punisce per sempre trasformandoli in inutili cipolle.

## OLTRE IL GIARDINO C'È IL MONDO

"In un giardino ogni coltivazione ha le sue stagioni. Prima vengono la primavera e l'estate, e poi l'autunno e l'inverno. E di nuovo arriva la primavera e ancora l'estate."[8]

Questo semplice assioma non è un'ingenua banalità, ma il succo della saggezza di Chance il giardiniere, un altro grande guru per tutti gli amanti del giardinaggio e del cinema. Chance, interpretato magistralmente da Peter Sellers, è il protagonista del film di Hal Ashby, *Oltre il giardino*, un capolavoro di tenerezza e comicità. Chance, in tutta la sua vita, non ha fatto altro che curare il giardino e guardare la televisione, senza mai uscire dalla casa dove ha sempre lavorato. Alla morte del suo vecchio padrone, si ritrova per la prima volta ad affrontare il mondo esterno, con tutte le sue rudezze e ipocrisie: l'impatto è devastante. Ma, a sorpresa, il suo semplice modo di comunicare attraverso la saggezza giardiniera è interpretato da tutti come una metafora rivoluzionaria, ricca di nascoste profondità filosofiche. Tanto che Chance viene subito eletto nuovo genio della comunicazione e ritenuto il più abile dei politici. Di conseguenza è corteggiato dal mondo che conta e invitato a tutti i talk-show televisivi, dove furoreggia esponendo le sue disarmanti teorie. "Non si semina solo per noi stessi, ma anche per le generazioni a venire":[9] la sua formula magica è tenera e naïf ma ridona una speranza.

Chance ci dimostra che l'intero mondo, anche "oltre il giardino", andrebbe governato con le stesse regole della *verdure*, così tutto sarebbe più semplice e funzionerebbe meglio. Parlare di radici che non vanno spezzate e rami guasti da tagliare offre un po' di fiducia nel futuro. Nel paradosso ironico del film c'è più verità che in tanti ragionamenti astrusi sui destini del pianeta che sentiamo ogni giorno nei nostri telegiornali. Il professor Harrison ci ricorda che "senza giardinieri non vi è futuro". E, citando il politologo-giardiniere ceco Karel Čapek, si dice sicuro che, dovendo scegliere un uomo da mettere a

## *"Il meglio deve ancora venire!"*

guida dell'umanità, bisognerebbe optare per un giardiniere, perché è l'unico che pensa a un domani migliore, o per "qualcuno che come lui si faccia carico di un avvenire di cui sarà in parte l'autore pur non essendone per forza testimone". Nonostante Paul Valéry ci ricordi che non c'è più il futuro di una volta, abbiamo tutti bisogno di crederci, di aggrapparci a una speranza che oggi nessuna forza politica riesce a comunicare. Per questo, come Harrison, sono diventata una seguace di Čapek, che ci inchioda con questa illuminazione: "Noi giardinieri in un certo senso viviamo per il futuro: se le rose sono in fiore, pensiamo che l'anno prossimo fioriranno meglio, e che tra qualche anno questo virgulto di abete diventerà un albero; ah, se solo questi anni fossero già passati! Il meglio deve ancora venire!".[10]

Il meglio deve ancora venire! Che suono dolce possiede questa frase per noi occidentali tristi, solitari, disillusi y final!

Sarà per questo che Michelle Obama, appena diventata first lady, ha impiantato un orto alla Casa Bianca. O aveva visto il film con Peter Sellers, o voleva darci una lezione di esistenzialismo giardiniero. Certo, rimanendo in metafora, sarebbe ora che il marito onorasse il Nobel per la pace e lasciasse liberi i campi che l'America ha invaso per seminare la democrazia fuori dai suoi possedimenti. Non mi sembra che queste piante abbiano messo radici, forse i metodi di trapianto dovrebbero essere più naturali e un po' meno violenti.


## LA MIA MIMOSA

Ma devo ammettere che anch'io, a volte, sogno di sovvertire il dominio delle stagioni, con risultati non sempre brillanti. Un giorno mi sono portata a casa uno sterpetto malandato che mi era stato venduto come "mimosa francese quattro stagioni", ovvero con promessa incorporata di eterna rifioritura: mi ero innamorata della possibilità di sconfiggere la dittatura dell'8 marzo a cui è ormai simbolicamente legata la povera pianta, costretta a essere offerta da mariti e fidanzati malmostosi che sperano, grazie al triste rametto, di conquistarsi un'amnistia totale per il resto dell'anno. La mia sarebbe fiorita anche l'8 aprile, l'8 maggio, l'8 giugno... allargando la festività della donna a tutte le date possibili, o meglio abolendola per sempre. Purtroppo l'ingrata non solo non cacciava fuori un pallino giallo neanche sotto minaccia, ma stentava proprio a crescere. Insomma, mi rimaneva uno zeppo senza poesia ovunque la spostassi. Così l'ho condannata all'ultimo angolo del giardino, dove vengono recluse le piante "cattive", che non vogliono saperne di collaborare: una specie di anticamera ospedaliera dove si somministrano le ultime cure già sapendo che saranno inutili. Ma nonostante tutto non l'ho voluta buttare. In giardino, mai darsi per vinti: una pianta non è finita nemmeno quando sembra stecchita, può riservare sempre delle sorprese, il famoso guizzo dell'ultimo momento. Come i cani abbandonati, le piante di cui andiamo più orgogliosi sono quelle che sono state trovate sul ciglio di una strada o dentro un cassonetto. Virgulti dati per spacciati, condannati anzitempo dalla fretta estetica del rimpiazzo veloce. Un bel giorno ho fatto un mucchio di queste piante terminali, tra cui la mimosa, le ho caricate nel bagagliaio e le ho trapiantate 600 chilometri a sud di Roma, in un assolato giardino salentino. Metodo shock. O ce la fai o crepi. La mimosa, ficcata in un angolo senza speranza, è rimasta muta e impenetrabile per tutto l'inverno senza dare segni di vita; poi, ai primi soli di marzo, si è trasformata nella favola del fagiolo magico e quasi nottetempo è diventata un albero ombrellifero pieno di infiorescenze giallo limone. Non chiedetemi cosa sia successo e perché ma, insieme alla pazienza, una buone dose di testardaggine e immaginazione non guastano nell'accidentata vita giardiniera, come ci ricorda Emily Dickinson:

> "Per fare un prato occorrono un trifoglio e un'ape.
> Un trifoglio e un'ape, e l'immaginazione.
> L'immaginazione può bastare se le api sono poche".

# 5

# LA CURA

\* \* \* \* \*

*"Supererò le correnti gravitazionali,*

*lo spazio e la luce*

*per non farti invecchiare.*

*E guarirai da tutte le malattie,*

*perché sei un essere speciale,*

*ed io avrò cura di te. [...]*

*Io sì, che avrò cura di te."*[1]

Franco Battiato,
La cura

Spero che Battiato mi perdoni se oso citarlo in un libro sul
giardinaggio. Ma credo che questa sua perfetta canzone, oltre a essere un ispirato inno all'amore, ci insegni a coltivare
il sentimento della "cura", una delle attitudini più sublimi
dell'animo umano, anche se l'oggetto delle nostre attenzioni
è semplicemente una pianta sul balcone.

Esercitare questa capacità di amorosa attenzione è salutare non
solo per chi riceve le nostre cure, ma soprattutto per noi che
le offriamo, se siamo capaci di mettere in secondo piano per
qualche istante il nostro ego dedicandoci al benessere altrui,
senza aspettarci un immediato tornaconto o una ricompensa.

Perché "la cura" è un sentimento nobile quando si rivela puro impulso emozionale, non rivolto a secondi fini.

Per chi volesse approfondire, sull'etica della cura e della responsabilità che ne consegue c'è un'immensa bibliografia. Da Locke a Heidegger, tutti i più grandi filosofi si sono occupati della materia; a noi sono sufficienti le parole di Nelson Mandela, che, in ventisette anni di carcere duro, ha trovato una ragione di vita e una piccola "resistenza umana" nella cura di un minuscolo orto-giardino all'interno del cortile sassoso della sua prigione in Sudafrica: "Piantare un seme, vederlo crescere e raccogliere i frutti era una cosa che dava una soddisfazione semplice ma duratura. La sensazione di essere il custode di quel piccolo pezzo di terra mi dava un lieve sentore di libertà".[2]

Le carceri, i campi di concentramento, i luoghi di detenzione sembrano i posti più lontani dal gioioso mondo del giardinaggio; ma forse proprio per questo le storie di queste due realtà spesso si intrecciano, regalandoci casi eccezionali come quello del terribile carcere di Alcatraz, situato su un'isola al largo di San Francisco denominata "the Rock" per la sua natura rocciosa e impenetrabile. Da questo luogo sinistro e inospitale, spesso circondato da una nebbia da film horror, era praticamente impossibile fuggire. La prigione di Alcatraz era dedicata ai casi più difficili, ultima spiaggia per criminali incalliti e gangster del calibro di Al Capone. Il terribile "nemico pubblico numero uno" fu incastrato non per la sua catena infinita di delitti, ma per una banale questione di tasse non pagate (a volte la lotta all'evasione funziona!). All'epoca non c'erano leggi *ad Alcaponem*, e alla fine di un processo spettacolare fu condannato a undici anni di reclusione. In un primo soggiorno nel carcere di Atlanta, il boss, grazie al suo potere e a mazzette varie, riuscì a fare la bella vita continuando a impartire ordini alla sua gang che impazzava fuori. Per isolarlo definitivamente lo deportarono allora nell'inespugnabile Alcatraz, dove non entrava uno spillo e niente era permesso, con due clamorose eccezioni: un banjo per il gangster (che si rivelò un appassionato musicista) e dei semi e una manciata di bulbi per Elliott Michener, un falsario con condanna a nove anni che si rivelò un portentoso giardiniere. Lasciamo il nostro Al ai suoi virtuosismi jazzistici, di cui non rimane traccia nella storia della musica, ed entriamo nel mondo dei giardini di Alcatraz.[3] Nati dalla passione del detenuto Michener e di alcune guardie carcerarie, sono progrediti negli anni, trasformando "the Rock" in un'isola verdeggiante, ricca di orti e piante rare. Se fate un giretto in California, una visita è d'obbligo. Ma evitate i weekend, perché ogni anno un milione e mezzo di persone sceglie questo ridente itinerario: cercando il brivido del braccio della morte trovano nasturzi in fiore e tenere convallarie al vento. Al detenuto Michener piaceva così tanto il suo lavoro di giardinaggio che alla scadenza della pena aveva quasi deciso di restare ad Alcatraz. Ma poi scelse di andare a lavorare in una fattoria nel Wisconsin, dove continuò a coltivare la sua nuova passione.

Dal 1963 l'isola non è più una prigione, e oggi fa parte del Golden Gate National Parks Conservancy.[4] Dopo un ottimo lavoro di restauro, numerosi giardinieri volontari continuano a curare gli spazi verdi e le serre costruite dai detenuti perché, come ci racconta Delphine Hirasuna, la scrittrice nippoamericana che ne ha studiato la storia, "i giardini di Alcatraz sono la dimostrazione dell'ardore umano, del desiderio di creare la vita e la bellezza persino in un ambiente ostile. Forse è questo che, più di ogni altra cosa, li rende così entusiasmanti e commoventi".[5]

Le stesse sensazioni ce le ispirano i "giardini di guerra" raccontati da Delfina Rattazzi nel suo avvincente libro *Storie di insospettabili giardinieri*:[6] un'interminabile lista di esempi di una prodigiosa umanità fiorita nel bel mezzo dell'orrore delle guerre. Dai giardini curati dai prigionieri inglesi rinchiusi in Germania, a Ruhleben, nel 1916, talmente splendidi da conquistarsi l'annessione alla Royal Horticultural Society di Londra, fino agli essenziali giardini zen creati durante la Seconda guerra mondiale dai prigionieri giapponesi internati a Manzanar, negli Stati Uniti, in zone desertiche ricche solo di sassi e sabbia. Ma la Rattazzi ci racconta anche un'altra esperienza positiva che riguarda la cura del giardino e la reclusione nell'Italia di oggi.

Seguendo l'esempio della Francia, dove da tempo il giardinaggio nelle carceri è stato sperimentato con successo, anche nel nostro Paese stiamo assistendo a un progetto straordinario. All'origine di questa bella storia ci sono due donne dalla testa dura e dal grande talento: Lucia Castellano, direttrice della casa di reclusione di Bollate, a Milano, e Susanna Magistretti, una grande giardiniera. Insieme hanno trasformato ettari di terreni di proprietà del penitenziario in un vivaio, una scuola di giardinaggio e un negozio dove è possibile acquistare anche piante rare e inusuali. Sul sito potete ordinare online, e le piante sono veramente speciali.[7] Nelle serre e nel vivaio si producono erbacee perenni, graminacee e una piccola collezione di annuali e di rose antiche. Nell'orto vengono coltivati ortaggi stagionali senza uso di antiparassitari e di fertilizzanti. Grazie a questa e a tante altre attività, e soprattutto grazie a una direzione intelligente che mira al reinserimento e non alla punizione come vendetta della società, questo carcere ha la più bassa recidiva tra tutti gli istituti d'Italia: dopo aver scontato la pena molte meno persone della media tornano a delinquere. E questo credo che dovrebbe essere il primo obiettivo di ogni reclusione.

Attraverso il giardinaggio i detenuti non soltanto hanno l'opportunità di imparare concretamente un mestiere che li aiuterà nel futuro reintegro nella società, ma acquisiscono altre abilità che gli saranno altrettanto utili. Perché, come dice Susanna Magistretti, "il giardino non è solo un luogo di pace e serenità. È anche un posto dove impari dai fallimenti. Sono i fallimenti che ti insegnano la pazienza, la costanza, la precisione e la cura necessaria in quello che fai".[8]

## GAMAN

Ci sono drammi irreparabili e tragedie che nessuna "cura" può guarire. Ma perfino dentro l'orrore bisogna cercare qualche germoglio superstite, una gemma da accudire, per testimoniare l'eterna resistenza della natura, unica forza ancora in grado di rigenerarci nei momenti più disperati.

Il 6 e 9 agosto 1945 le due città giapponesi di Hiroshima e Nagasaki vennero distrutte dalle prime bombe atomiche messe a punto dagli americani. Niente sarebbe mai più stato come prima. Era nata un'arma micidiale che avrebbe alterato il corso della storia, ma innanzitutto cambiò per sempre il destino degli abitanti di queste due città. Le fotografie dell'epoca ci mostrano l'orrore allo stato puro. Macerie radioattive per chilometri e chilometri. A Hiroshima l'esplosione distrusse più di metà città, circa 10 chilometri quadrati. I dati del Comando interalleato dicono che l'atomica causò 129.558 tra morti, feriti e dispersi e 176.987 senzatetto. A Nagasaki, tre giorni dopo, la seconda bomba rase al suolo un terzo dell'abitato e provocò circa 66.000 vittime tra morti e feriti. Per non parlare delle

*"Sono i fallimenti che ti insegnano
la pazienza, la costanza,
la precisione e la cura necessaria
in quello che fai."*

drammatiche conseguenze che le radiazioni atomiche avrebbero avuto sugli inconsapevoli sopravvissuti e sui loro futuri figli. "Radio Tokyo informa che la bomba atomica ha letteralmente polverizzato tutti gli esseri viventi che si trovavano a Hiroshima. I morti e i feriti sono assolutamente irriconoscibili e la città è un immenso cumulo di rovine."[9]

Delphine Hirasuna ci riferisce che c'è una parola giapponese il cui significato racchiude il segreto dell'arte della resistenza: *gaman*, che più o meno vuol dire "persistere, con pazienza e dignità, in ciò che sembra insostenibile".[10] Una sola parola per racchiudere un sentimento tanto speciale. Ed è proprio con ammirabile *gaman* che si sono comportati i cittadini giapponesi sconvolti da questa incredibile violenza e, nel suo piccolo, anche uno sparuto albero di cachi che, "con pazienza e dignità", è riuscito a sopravvivere sotto le ceneri del più orribile evento atomico provocato dall'uomo.

Il dottor Masayuki Ebinuma, botanico di Nagasaki, specializzato nella cura delle piante, adottò questo sterpo malandato e con molta dedizione fu capace di riportarlo in buona salute.

113

Mai la filosofia della cura delle piante ha riscosso risultati più simbolici ed entusiasmanti.

Oggi siamo già alla terza generazione di "figli" di quel primo albero post-atomico; dal suo frutto sono stati prelevati alcuni semi da cui sono nate altre pianticelle, che il dottor Ebinuma ha iniziato ad affidare ai bambini in visita al museo del bombardamento atomico di Nagasaki, pregandoli di curarle e farle crescere perché diventassero simboli di pace e di amore.

Nell'agosto 1995, grazie al contributo dell'artista giapponese Tatsuo Miyajima, ha preso vita il progetto "Revive time – L'albero del cachi",[11] che cerca genitori adottivi per nuovi virgulti da piantare in tutto il mondo. Queste piccole piante coraggiose sono diventate un segno forte di speranza e fiducia nel futuro e oggi vegetano e fioriscono in ogni angolo della Terra: dal Franklin Park Conservatory a Columbus, in Ohio, fino a Casciago, in quel di Varese, dove un esemplare troneggia davanti alla chiesa di San Giovanni, ed è affidato alle amorevoli cure di tutta la comunità. "Spero che l'albero del cachi trasmetta il messaggio del valore della pace e il prezioso significato della vita a tutti i bambini e i ragazzi del futuro. Spero che comprendiate questo messaggio e che riusciate a costruire la pace nel Ventunesimo secolo. Con sconfinati sogni di pace."[12]

Nonostante tutti i suoi sforzi e le persone che hanno aderito con entusiasmo al progetto, purtroppo i sogni del dottor Ebinuma non si sono ancora avverati. Ma i simboli non sono inutili, servono per ricordare il nostro passato e aiutarci a non ripercorrere i medesimi errori. Forse non basterà una foresta di alberi per fermare la guerra, ma noi continueremo a piantarli e a curarli con la stessa determinazione con cui le piante resistono alle più dure avversità. A dire il vero non fu solo una pianta di cachi a sopravvivere con testardaggine al fungo atomico. Anche a Hiroshima avvenne un'incredibile storia vegetale. Un maestoso albero di ginkgo biloba che troneggiava a meno di un miglio dal cratere della bomba, proprio davanti al tempio scintoista di Hosen-ji, con l'esplosione si carbonizzò all'istante insieme a tutto quello che gli stava attorno. Ben altri problemi agitavano gli animi dei cittadini giapponesi per dare retta a quel tizzone incenerito; ma, un anno dopo la tragedia, dal tronco bruciacchiato prese a spuntare un timido ramoscello. E piano piano, sotto gli occhi meravigliati della popolazione, la pianta riacquistò orgogliosa il suo posto nel mondo. Il tempio distrutto venne ricostruito, ma gli architetti decisero di dividere in due il nuovo scalone di accesso per consentire all'immortale ginkgo biloba di crescere indisturbato. E oggi è ancora lì che troneggia maestoso, con le sue strabilianti foglie palmate che in autunno si trasformano in oro puro prima di cadere ai piedi del tempio in una cascata regale.

"Penso che dovrò annaffiare
  i frutti dentro di te.
  Penso che dovrò coltivarti un po' di più
  Tu sei il giardino e io sono il giardiniere."[13]

*Niccolò Fabi,*
Il giardiniere

## LE AFFINITÀ ELETTIVE
## DI UN FOSSILE VIVENTE

Il ginkgo biloba è il dinosauro delle piante, un vero soprav-
vissuto giurassico, esemplare di una flora preistorica vecchia
di oltre cento milioni di anni: un "fossile vivente"[14] l'aveva
ribattezzato Darwin, un antenato vegetale ricco di proprietà
curative per lenire i disturbi di memoria, migliorare lo stato
di coscienza negli anziani e la circolazione del sangue. Preziose qualità già conosciute nel 2800 a.C. e citate nel famoso
manuale di medicina cinese *Pen ts'ao ching*.

Oggi anche la scienza occidentale utilizza il ginkgo biloba
come rimedio terapeutico per alleviare i disturbi arteriosle-
rotici, e addirittura come coadiuvante nelle cure contro l'Al-
zheimer: come non ricambiare… Curare le piante è il minimo
che possiamo fare. Il ginkgo biloba non finisce mai di stu-
pirci; è un albero straordinario e misterioso di cui sono fol-
lemente innamorata per la sua originale bellezza e le infinite
storie che lo circondano. In una visita ai giardini francesi di
Courson, durante una delle tradizionali feste di primavera di
qualche anno fa, ho scovato un piccolo esemplare di ginkgo
variegato che ho trascinato in aereo con me, trattandolo, più
che come bagaglio a mano, come un neonato nella culla. L'ho
tenuto in braccio per l'intero volo, indifferente alle proteste
delle hostess e, una volta a casa, l'ho destinato a un angoletto privilegiato del mio giardino romano. Al mattino il mio

primo sguardo è per lui, ogni fogliolina nuova viene salutata come una festa del patrono, alle prime brezze invernali o ai raggi estivi troppo violenti è subito protetto e schermato. Il ginkgo biloba ricompensa le mie cure rimanendo vivo e niente più. Sono ormai quattro anni che occupa la sua posizione d'onore e non è cresciuto di un centimetro, una foglia va e una viene, segue diligente il ritmo delle stagioni ma rimane piccolo, praticamente una miniatura. Mi avevano avvertito che sono piante dalla crescita lenta, ma non pensavo fino a questo punto. A volte ho il sospetto di aver comprato una rara qualità bonsai con le radici stregate da qualche mago nipponico del giardinaggio mignon. Ma dalla cifra che ho sborsato sospetto che non sia questa la soluzione del mistero: di solito per entrare in possesso di uno di questi capolavori centenari bisogna accendere un mutuo in banca e un cero alla Madonna per non farli ammalare.

Comunque sia, io amo il mio piccolo virgulto e continuerò a considerarlo un pezzo pregiato della mia famiglia di piante. Per fortuna abito vicino a Villa Sciarra, un romantico giardino storico dove s'innalza un esemplare di ginkgo biloba grande come una casa: in cinque minuti lo posso raggiungere a piedi e sdraiarmi sul suo tappeto di foglie dorate, sempre in attesa che le amorose attenzioni trasformino il mio nanetto almeno in un cespuglio. Se fosse possibile prima dei miei ottant'anni, sennò va bene lo stesso!

In questa attrazione fatale nei confronti del ginkgo biloba sono in buona compagnia, visto che il poeta, botanico, scienziato, filosofo, agronomo e quant'altro Goethe nutriva per questo albero una venerazione particolare; tanto che fu personalmente lui a farlo trapiantare ovunque, anche nella sua casa di Weimar, quando rivestiva la carica di curatore del giardino botanico di Jena. Doveva averlo sempre a portata di mano per poter strappare le foglie a forma di piccolo ventaglio e regalarle alla giovane Marianne von Willemer, deliziosa pulzella, uno degli amori tardivi del poeta nazionale tedesco. Forse sarebbe stato più coerente se avesse scritto anche *I dolori dell'anziano Werther*, vista la quantità di passioni che hanno agitato il suo cuore fino a età inoltrata. Ma quando si è posseduti dallo *Sturm und Drang* non si sta lì tanto a sindacare. La tempesta sentimentale colpiva il poeta ad ampio spettro: non aveva un debole solo per le giovani signore, ma per molte varietà di piante, tra cui le dalie, di cui possedeva una collezione invidiabile lungo i viali della sua casa di Weimar.

Ma restava sempre il ginkgo la favorita: le sue origini misteriose e il disegno inusuale delle foglie riuscivano ad attrarre l'immaginazione di Wolfgang e a scatenare la sua famosa vena creativa. Esiste ancora, conservato come una reliquia, il manoscritto con la poesia *Gingo Biloba* che Goethe dedicò all'amata. In fondo al foglio, sotto la minuta grafia del poeta, sono incollate due foglie secche dell'albero, eterno pegno per un

118

amore impossibile non soltanto per la differenza d'età, ma soprattutto perché Marianne era sposata con un caro amico del romantico Goethe. E, nonostante le profonde "affinità elettive", piuttosto che fuggire insieme e vivere la loro avventura i due amanti preferirono dedicarsi struggenti poesie che sono rimaste alla storia. Tutti gli appassionati lettori gli sono sommamente grati per questa rinuncia, visto che una vita di coppia con il suo banale trantran non avrebbe lasciato traccia nella letteratura mondiale. Solo la foglia di ginkgo biloba li ha uniti per sempre con il suo meraviglioso disegno che simboleggia il dualismo perfetto, gli opposti che si attraggono: due lobi fusi insieme come il principio maschile e femminile che convivono in ognuno di noi.

> "La foglia di quest'albero
> affidato dall'Oriente al mio giardino,
> ha un senso di sapore arcano
> che agli iniziati è gradito.
> È un'unica entità vivente
> che si è scissa in se stessa?
> O son due, scelte per essere
> conosciute con un nome solo?
> Per rispondere ai quesiti
> il senso giusto ho colto.
> Nei miei canti non percepisci che io
> uno e duplice sono?"[15]

## TUTTE BRACCIA RUBATE
## ALL'AGRICOLTURA

> "Ieri ho potato il mio ulivo. Un lavoro di mezz'ora, ma
> un lavoro delicato e fine. Forse è l'unico lavoro che so
> davvero fare con queste mie mani; un lavoro vero, non
> una roba astratta come scrivere, qualcosa che ha a che
> fare direttamente con la materia e la vita, e l'immediata
> cruda responsabilità che ne deriva."[16]
>
> *Maurizio Maggiani*

Abbiamo constatato che l'attività giardiniera è un'ottima terapia per recuperare un equilibrio tra la natura e noi poveri umani disorientati dal progresso e dalla perdita di ogni
manualità, se non quella digitante. Potare, sarchiare, legare,
scavare, dissodare, piantare, buttarsi bocconi sulla terra nuda
non fa bene solo alle nostre piantine, ma ci aiuta a ritrovare
quel famoso "centro di gravità permanente" che da tanto andiamo cercando insieme a Battiato.

Trovo esemplare il coming out dello scrittore Maurizio Maggiani sul suo ulivo. In breve ci racconta tutto ciò che dobbiamo sapere: "Curare ciò che è riuscito ad attecchire nelle
ristrettezze e nei corti orizzonti"[17] è l'unico esercizio che ci
permette di sperare in epoche più floride e orizzonti più vasti.
Nel suo rapporto con la pianta c'è un segreto più grande della
bagnarola che la contiene.

Non voglio invitarvi a meditazioni astratte, tanto di moda,

*"Tra le piante si prova la sensazione*
*di avere trovato con estrema facilità*
*il nostro posto al mondo."*

sullo zen e l'arte della manutenzione del giardino. Anzi mi augurerei che vi venisse voglia di prendere in mano una vanga o un rastrello, piuttosto che farvi soggiogare da surrogati commerciali che ormai si trovano facilmente nei migliori negozi. Un settimanale, poco tempo fa, si interrogava così: "Come fare a meno dei giardini zen portatili per il vostro relax quotidiano?". Come vivere senza quelle simpatiche confezioni pubblicizzate come l'oggetto indispensabile che renderà più trendy il vostro salotto? "Perfetto come originale e sicuramente apprezzato regalo di Natale, il kit è anche un elegante e raffinato articolo di arredamento, grazie alle piccole dimensioni e alla possibilità di cambiare il giardino ogni volta che lo si desideri."

Sicuramente meglio il kit del giardino zen portatile che la solita cravatta, ma forse meglio ancora piantare dei veri pomodori San Marzano in un bel vaso sul balcone. Nel dubbio, vi consiglio la lettura di una vera appassionata e competente del genere, Pia Pera, che con il suo *Giardino & orto terapia. Coltivando la terra si coltiva anche la felicità* ci indica come intraprendere un viaggio prezioso verso il benessere attraverso le pratiche

121

giardiniere: "Tra le piante si prova la sensazione di avere trovato con estrema facilità il nostro posto al mondo. Di trovarci esattamente dove dovremmo essere. Che questo avvenga per la più primordiale delle complementarità, quella tra animale e pianta? Tra creature opposte, che si nutrono l'una del respiro dell'altra? Non saprei. Ma l'importante è questo: funziona".[18] Come ribadisce saggiamente Woody Allen: basta che funzioni!

## HOUSTON, ABBIAMO UN PROBLEMA

Ma non c'è filosofia zen che tenga quando le nostre amate piante perdono quel bell'aspetto florido da vivaio specializzato e cominciano a deperire. Le chiacchiere stanno a zero, è ora di affrontare la spinosissima pratica. Le malattie delle piante, i loro tracolli improvvisi, gli attacchi indiscriminati di vermi, afidi, ragnetti rossi, sono gli incubi di ogni giardiniere, specialmente dei dilettanti come me. Non a caso la cura delle piante è l'argomento più gettonato sui migliaia di forum e blog di giardinaggio che circolano in rete. Spesso contengono messaggi disperati che sembrano tratti da un film catastrofico della serie: "Houston, abbiamo un problema!".

"Ragazzi chiedo urgentemente aiuto! Ho piantato dei gerani in vaso... Da un po' di tempo hanno acquisito un verme. Cosa si può fare?"

"Ho un acero alto circa 1,50 m in giardino, colpito da un fungo. Prima le foglie sono diventate bianche, in seguito sono parzialmente seccate. Cosa devo fare? Aspetto che cadano tutte?"

"sos: Ho notato uno strano insetto con le corna che ha creato un bozzolo utilizzando le foglie della mia siepe di lauro, anzi stamattina i bozzoli erano già due..."

"Mi hanno regalato un bel vasone di callista. L'unico piccolo problemino è che era PIENA ZEPPA di cocciniglia farinosa su tutte le foglie; per incominciare l'ho immersa in un secchio con acqua, alcol e sapone per piatti, poi sotto il getto di acqua corrente ho passato con le dita foglia per foglia ma..."

"Ho trovato sul mio *Hibiscus* dei bruchi verde chiaro... dalle foto su internet credo sia l'*Autographa Gamma*. Ho tentato di eliminarli a mano ma purtroppo si nascondono..."

"Buongiorno, sapete cosa sono queste secrezioni bianche comparse sui rami del gelsomino? Grazie."

Te lo dico io cosa sono: marziani, baccelloni, un'invasione di ultracorpi dallo spazio, come se tutti i mostri vegetali terrestri e svariate creature extraterrestri avessero deciso di darsi appuntamento sulle nostre povere piante.

"Il giorno dei trifidi": questa è la vera ossessione per ogni giardiniere. Siamo abituati a sopportare molte malversazioni, assistiamo quasi senza scomporci al variopinto spettacolo della politica italiana, ormai la corruzione non ci smuove più di tanto né ci impressionano le sparate dei leghisti, siamo riusciti persino a mantenere la calma davanti all'insensato desiderio di resurrezione dell'Ulivo da parte dell'onorevole Bersani, ma se la peronospora attacca la piccola pergola di moscato appena issata sul terrazzino, be', si salvi chi può. Anche gli uomini più miti sbroccano davanti a questa rovina. Se un partito politico, invece di continuare a prendere a prestito dal mondo vegetale margheritine e garofani per adornare i suoi simboli, si desse da fare per scoprire un sistema per eliminare la peronospora vincerebbe le elezioni a mani basse, senza bisogno di comizi e promesse.

Tornando alle invasioni degli ultracorpi sulle nostre piante, la materia è molto sentita ed è evidente che a oggi non ci sono soluzioni scientifiche a prova di bomba. Si naviga a vista, vivendo della propria esperienza, o ci si affida speranzosi ai consigli di chi ne ha viste più di noi.

Le piante non sono come i computer, si può chiamare un tecnico superesperto ma non è detto che scopra cosa sta andando in collisione o quale applicazione non risponde più ai comandi. Le variabili sono infinite, dipendono dai nostri errori ma anche dai capricci della natura, che per fortuna nessuno è riuscito a domare definitivamente.

Ognuno ha il suo persecutore preferito. Il mio nemico principale è il mal bianco o oidio. O malattia dell'odio, come la chiamo io, perché solo chi odia i fiori può pensare di ridurli così. Chi possiede delle rose sa quel che intendo; proprio quando i primi germogli appaiono sul ramo e state già per pregustarvi un'onesta fioritura, ecco che "la cosa" si manifesta. Una lanugine bianca appiccicosa comincia ad attaccare le foglie più tenere, poi passa ai boccioli e li blocca sul nascere accartocciandoli crudelmente. Lo spettacolo finale è horror puro e non ha niente a che vedere con la suadente foto del catalogo da dove avete ordinato fiduciosi la vostra rosa dei sogni. Non arrendetevi: come vi ho già detto "resistere, resistere, resistere" deve diventare il vostro mantra, almeno per il giardinaggio.

Sperimentate tutti i rimedi possibili, evitando magari quelli tossici e inquinanti, che comunque non danno garanzie di successo; a costo di staccare gli afidi a mano, uno alla volta dai boccioli incrostati, non datevi mai per vinti. Provate il piretro, la nicotina, il sapone di Marsiglia, i riti vudù e l'esorcista. Alla fine, l'ultima spiaggia è sempre il lanciafiamme, ma il risultato non è assicurato: potreste sterminare tutto tranne quella lanugine biancastra che svolazzerà irridente sopra le vostre rovine.

A proposito, avete mai provato a spruzzare acqua stantia dove avete fatto macerare una ventina di sigarette fumate con rabbia perché non riuscite a smettere? È un'ottima terapia alternativa, se non per gli afidi almeno per voi. Sarete così schifati dall'odore della pozione nicotinica che, almeno per quel giorno, rallenterete il ritmo dell'odioso vizio. Parola di ex fumatrice che ci è ricaduta.

La cosa migliore, dopo essere ricorsi a qualunque espediente possibile, è farsene una ragione. Gli unici giardini e terrazzi inappuntabili appartengono a chi non sa neanche di averli e li considera esterni da arredare come un angolo qualsiasi: piante e fiori a comporre la stanca riproduzione di un quadro astratto o ammucchiati come pupazzi di peluche nuovi di zecca, buttati sul letto di un bambino viziato.

"Mi metta delle piante che non pungano, mi raccomando. Mi hanno parlato di rose senza spine che fioriscono in dicembre e non si ammalano mai... Ah, non esistono? Be', faccia lei, basta che ci siano dei colori e non s'incastri roba verde tra i listelloni di tek."

Vivere con le proprie piante quotidianamente sul campo, condividendo gli alti e bassi della vita, è tutt'altro piacere. Accettare qualche foglia accartocciata, macchie di ruggine qua e là e colonie di piccoli trifidi che hanno resistito anche allo sfratto esecutivo, vi pacificherà con l'universo. In fondo, un giardino è molto più bello con le sue piccole ammaccature, come le rughe di espressione di una bella donna che ha resistito al botox, è il fascino che andiamo cercando... O no?

Ultimo messaggio dall'iperspazio: mi dicono proprio in questo momento che l'albero di ginkgo biloba non deve essere mai potato. I rami, una volta tagliati, necrotizzano fino alla morte di tutta la pianta! Aiuto, sarà vero?

## IL SESSO TRA I PUNTERUOLI

Il punteruolo è un insetto che, come dice il nome, è provvisto di una piccola proboscide a punta, una specie di tromboncino con cui si nutre delle nostre belle piante. Appartiene a una famiglia molto numerosa, ma uno dei più temibili è il punteruolo rosso della palma, nome in codice: *Rhynchophorus ferrugineus Olivier*. Questo minuscolo animaletto sta minando l'esistenza di uno dei più attraenti alberi del creato ed è una novità per il nostro Paese. Pare sia stato importato insieme a nuovi palmizi dall'Oriente, e purtroppo si è perfettamente accasato sugli esemplari nostrani. Veloce e instancabile divoratore, riesce a far seccare una pianta gigante in una sola stagione. Se vi capita di vedere vicino a casa vostra una palma accasciarsi all'improvviso, con le foglie reclinate e ingiallite come la capigliatura di Maga Magò, è stato lui!
Per prevenire la diffusione del terribile insetto rosso, ultimamente hanno scoperto un metodo alquanto singolare, più potente del veleno e più persuasivo di un insetticida, un accorgimento che sfrutta una debolezza comune a umani e animali,

ovvero il richiamo sessuale. In questo caso si può finalmente ribaltare un famoso detto, poco elegante ma purtroppo sempre veritiero: "Tira più un coleottero maschio che un carro di palme". Recenti studi scientifici hanno dimostrato che una miscela di feromoni sessuali maschili disposta in una trappola provoca un'attrazione fatale sulle femmine della specie, che distolgono la loro attenzione dalle palme e vengono adescate e catturate grazie all'inganno erotico. E così, sedotte e abbandonate, le punteruole non depositano più le larve assassine che distruggono dall'interno le palme aggredite. Hanno calcolato che una singola coppia di *Rhynchophorus ferrugineus* possa dare vita, nell'arco di quattro generazioni, a circa 53 milioni di esemplari.

Come ci racconta Robin Lane Fox, niente in confronto a un'altra "punteruola" meno famosa ma altrettanto devastante, che si attacca ai cereali ma anche ai fiori, nidifica tra le radici che vengono divorate dalle larve ma adora anche le foglie, che prende letteralmente a morsetti lasciando buchini tondi come quelli di un biglietto del treno obliterato dal controllore. Purtroppo non c'è richiamo maschile che le possa distrarre, perché questa specie è composta unicamente da esemplari femminili che mettono al mondo altri esemplari femminili: una società perfettamente matriarcale che si riproduce da sé, il sogno realizzato di filosofe femministe come Germaine Greer, che nel suo libro *L'eunuco femmina*[19] non aveva sperato tanto.

Queste invincibili vestali depositano le loro uova rimanendo vergini, come è avvenuto tra gli esseri umani solo una volta, nel mistero più famoso della religione cattolica, ma quell'occasione fu catalogata come grande miracolo.

L'azzardato paragone nasce da un interrogativo inquietante di Robin Lane Fox, che si è chiesto preoccupato che fine avessero fatto i maschi della specie. Si sa soltanto che non sono sopravvissuti all'era glaciale: estinti per incapacità di adattamento? Fatti fuori dalle femmine che si erano stancate di depositare migliaia di larve ogni mese, farle crescere, nutrirle, spazzare per terra eccetera? O forse, al contrario del nome, questi punteruoli maschi "al dunque" non erano poi un granché? Come ci ha insegnato Darwin, in natura chi non si dà da fare e non si evolve è considerato superfluo e tende inevitabilmente a scomparire. Gli scienziati tengono sotto stretta osservazione la materia: credono che sia molto importante scoprire la verità su questi insetti per il futuro del genere umano, specialmente per quello maschile.

# 6

# I COLORI

\* \* \* \* \*

*"Una grande pianta di rose stava presso l'entrata del giardino; le rose che vi sbocciavano erano bianche, ma tre giardinieri si affaccendavano tutt'intorno a dipingerle di rosso. [...] 'Vorreste dirmi, per favore' disse Alice un po' intimidita, 'perché state dipingendo quelle rose?' Cinque e Sette non dissero nulla, ma guardarono Due. Due cominciò a bassa voce: 'Diamine, il fatto è, vede, Signorina, che qui doveva esserci una pianta di rose rosse e noi per errore ne abbiamo messa una di bianche; e, se la Regina lo scoprisse, ci farebbe tagliare la testa, capisce'. [...]"[1]*

Lewis Carroll,
Le avventure di Alice nel paese delle meraviglie

Come nella vita così nel giardino, le sfumature sono tutto. Io personalmente, al contrario della regina di cuori, avrei costretto gli sventurati giardinieri a dipingere le rose rosse di vernice bianca. Questione di gusti. Lo ammetto: tra i colori del giardino non amo il rosso violento e protagonista, ma non raggiungo neanche gli oltranzismi monocolore tanto di moda nei giardini acculturati, che propendono ormai solo per lo svenevole bianco.

A convincermi definitivamente dell'inutile snobismo del total white è stato Michele, il mio vicino di casa salentino, provetto giardiniere, maestro (anzi, come si dice in Salento, "mescio") nella impervia arte della potatura degli agrumi. È lui che mi ha insegnato a capire le dure esigenze delle piante che vivono nell'estremo Sud del nostro Stivale. Clima di difficile classificazione: molto caldo d'estate, ma con gelate ripetute d'inverno e con un'umidità così forte da far marcire una radice in una notte. Praticamente un vero incubo per qualunque apprendista giardiniere. Tra un consiglio e l'altro Michele mi ha gentilmente piantato a sorpresa un esemplare che non avrei mai voluto vedere, nemmeno con il binocolo a quattro giardini di distanza: un bel cespuglio di rose rosso neon, dal sordido nome di "Danza flamenca"; un ibrido ahimè resistentissimo e rifiorente che non ho mai trovato in nessun catalogo rispettabile. E mentre la mia elegantissima buganvillea color rosa tramonto con venature gialline stentava a occupare lo spazio che le avevo riservato nella mia tavolozza ideale, ma rilasciava solo qualche stitica fioritura, la "Danza flamenca" sembrava nutrita da un potentissimo concime al Viagra, e si allargava paurosamente riflettendo il suo color rosso "sabba satanico" su tutto il vicinato. Per non offendere il mio mescio giardiniere non osavo toccarla, ma tramavo nottetempo di cospargerla di veleno per topi o di sradicarla violentemente e poi rimetterla a dimora senza più radici, aspettando la sua misteriosa e lenta agonia. Tuttavia il volto soddisfatto di Michele a ogni nuova fioritura mi dissuadeva dai miei diabolici propositi. Non si può spezzare l'emozione di un giardiniere. Chi ha sofferto sul campo sa che sabotare una pianta che ha preso così bene è un delitto mortale, imperdonabile, per cui dopo morto vieni scaraventato nell'inferno dei giardinieri, che deve essere un posto orribile, tutto stallatico e piante secche.

Allora cambiai strategia. Presi a circondarla con un assedio lento e sistematico di lavande cornute color cielo, bianchi gelsomini tappezzanti le arrivarono alle spalle, e ogni genere d'annuale slavata l'agguantò in un abbraccio soffocante. Ma il rosso continuava a primeggiare su tutto quell'elegante languore. Alla vista del mio raddoppio, il nostro caro mescio si sentì autorizzato a giocarsi la carta finale. Una mattina trovai l'insieme laocoontico di piante circondato da un recinto fitto fitto di zinnie multicolor! Era la fine.

Non so se avete presente la zinnia: trattasi di margheritona molto popolare, alta e secca, che fiorisce quando tutti stentano. La riconosci perché svetta allegra in pieno agosto sotto il sole cocente e ti sorride soddisfatta, anche se l'impianto d'irrigazione è rotto da una settimana. E quando dico multicolor intendo una gamma infinita di colori da pugno in un occhio:

si parte dal giallone intenso e si arriva al fucsia Barbie, passando per il rosso cadmio e l'arancione segnaletico.

Aspettavo la visita di una mia amica esperta di giardini e alquanto snob. Con lei si era discusso parecchio della crisi della sinistra ormai impresentabile e della volgarità dei colori messi a casaccio nelle aiuole dei giardini... praticamente due argomenti fondamentali che vanno spesso appaiati nelle serate di questo inizio millennio.

Volevo morire. Nascondere l'aiuolone molesto sotto un telo frangisole o accusare un malore improvviso e annullare l'invito? Eccola in anticipo. Ecco il suo sguardo acuto e penetrante osservare compiaciuto la mia piccola collezione di ortensie machrophylla sopravvissute a stento al clima salentino. Niente da dire sugli aranci e sui limoni, erano lì da sempre e per fortuna non tramontano mai, neanche nei giardini più trendy. Però, subito oltre il muretto a secco, appariva in pieno sole la mia aiuola bastarda, sparando il suo colore sfacciato come un fuoco d'artificio. Era contro ogni legge del gusto e della signorilità. Inutile riportarvi l'espressione scandalizzata dell'esperta in ellebori color neve. Ma proprio in quel momento, guardando l'insieme eclatante ho pensato che era bellissimo.

Un trionfo della natura, un manifesto di irriverenza pop, uno scoppio di allegria e di naturalezza che faceva invidia a tutte le pallidone circostanti. Ha vinto "Danza flamenca", hanno vinto il mescio Michele e la *joie de vivre* del giardino, che alla fine decide sempre da solo come gli va di crescere. "Molto divertente l'idea di questa tavolozza alla Pollock nel bel mezzo di un total white: molto coraggioso, innovativo, complimenti." So per certo che appena uscita è andata di corsa a sparlare delle mie zinnie per tutto il paese, ma ormai io le avevo adottate; e guai se ogni estate non tornano a fare capoccetta nell'aiuola più fusion che si possa immaginare.

La miglior descrizione della mania radical chic del giardino "solo bianco" ce la regala ancora Umberto Pasti: "Oggi il giardino bianco è un must, come dicono i suoi estimatori, i lettori di rotocalchi e di riviste per i quali in giardino va bene tutto purché non ci siano i fiori, tranne, naturalmente, quelli bianchi […]. La storia del giardino riflette quella dell'uomo che lo crea e lo coltiva. Mai come oggi, per colpa dell'irrealtà nella quale siamo precipitati, l'uomo si è avvicinato a essere un fantasma senza bisogni (se non indotti), senza appetiti né desideri. Questo povero omuncolo, lavato e stirato, desessualizzato, avvolto in una nube di profumi, vestito all'ultima moda, trova nel giardino bianco la degna cornice della sua esistenza".[2]

UN SOFFIO DI VITA

Ben altro fu l'intento della scrittrice Vita Sackville-West, quando decise di destinare unicamente alle fioriture candide una delle tante "stanze" del giardino nella sua tenuta di Sissinghurst, in Inghilterra. La baronessa Sackville-West prese possesso del castello nel 1932. Ma, prima ancora di andarci ad abitare, mise mano all'immenso giardino insieme al marito, Sir Harold Nicolson; anzi, si può dire che l'acquisto del castello fu secondario rispetto al vero obiettivo della coppia giardiniera: dare vita a un luogo speciale che riflettesse la passione comune per il paesaggio e rappresentasse un nuovo ideale di spazio verde più libero e anticonformista, pur mantenendo la sobrietà dei giardini classici inglesi. Il giardino di Sissinghurst, perfettamente conservato sotto l'egida del National Trust, è diventato oggi uno dei più visitati d'Inghilterra. E ha mantenuto intatti il suo disegno e tutta la sua antica bellezza.[3]

La straordinaria varietà di piante e l'originalità degli accostamenti ne fanno un luogo unico e romantico. Se è vero che ogni spazio verde rivela la personalità di chi l'ha realizzato, Sissinghurst è il capolavoro di una coppia geniale ed eccentrica, che della libertà aveva fatto uno stile di vita. E non solo in giardino. La baronessa, oltre ad amare i suoi cespugli di rose, si innamorò perdutamente anche della scrittrice Virginia Woolf, e instaurò con lei un legame profondo e appassionato che durò nel tempo, senza per questo trascurare la scrittura, i figli, il marito e naturalmente la sua vera "adorata creatura": l'esuberante giardino.

La particolarità del parco intorno al castello consiste nella divisione degli spazi in molte "stanze" separate, con anticamere, corridoi e improvvise aperture. Come se il giardino fosse una continuazione ideale della dimora, ma all'aperto. Luoghi diversi, a volte segreti, si succedono lasciando il visitatore sempre incantato dagli abbinamenti inconsueti delle piante. Uno di questi ambienti Vita lo realizzò solo con fioriture bianche, in tutte le nuance che la natura offre a questo colore, dimostrandoci che il bianco non è mai monotono.

Sentite come la baronessa descrive le tonalità di una magnolia appena sbocciata: "Il tessuto dei petali è una densa crema; non dovrebbero essere definiti bianchi, perché sono avorio, se mai potete immaginare l'avorio e il color crema combinati in una pasta densa, con tutta la morbidezza e la levigatezza della pelle umana giovane. Il suo profumo, che evoca il limone, è insostenibile".[4] Questo è lo stile con cui Vita Sackville-West collaborò per quindici anni con l'"Observer", curando una popolare rubrica di giardinaggio, *In Your Garden*, dove ogni settimana regalava consigli ai suoi lettori, descriveva esperienze ed errori, raccontava i suoi tentativi e i sogni ancora da realizzare.

Vita è stata una donna di carattere, una romanziera di successo, un tipo originale, estroverso e appassionato, che amava il rischio in tutti i campi. "Colorata come un pappagallino", come ripeteva spesso Virginia Woolf, parlando di lei. "Lei mi piace e mi piace stare con lei e il suo splendore [...], incede con passo maestoso sulle sue gambe simili ad alberi di faggio, luminosamente rosea, un grappolo d'uva, una perla sospesa. Questo è il segreto del fascino, immagino."[5]

La Woolf era così innamorata di Vita e l'ammirava a tal punto che decise di dedicarle un romanzo per rendere immortale non solo la sua amata, ma anche l'intera storia della sua famiglia. È nato così Orlando, uno dei personaggi più moderni della letteratura inglese, reso magnificamente al cinema dall'interpretazione di Tilda Swinton.[6] Il romanzo inizia alla corte di Elisabetta I d'Inghilterra nel XVI secolo e segue le vicende del nobile Orlando, che restando per sempre giovane, *forever young* come direbbe Bob Dylan, attraversa secoli di storia, cimentandosi in svariate avventure, tra cui la più inusuale: il cambio di sesso.

Orlando è un condottiero, una talentuosa scrittrice, un perfetto gentiluomo o una damigella elegante. È tutte queste cose insieme, cambia identità e genere mentre attraversa il tempo, dall'Età elisabettiana fino all'inizio del Novecento. Possiede sensibilità femminile e audacia maschile, è il perfetto esempio letterario della complessità della psiche umana, ricca di componenti diverse e complementari che, secondo la Woolf, dovremmo tutti accettare con naturalezza.

*Orlando*,[7] più che un romanzo, è una lunga lettera d'amore, la storia di "Vita nel paese delle meraviglie", come l'ha definita Nigel Nicolson, figlio di Vita, nella biografia dell'eccentrica madre.

Ma alla pubblicazione del libro, e forse proprio per il suo contenuto, questo grande amore si esaurisce. Vita continua a portare a Virginia le nuove fioriture di Sissinghurst quando passa dalle parti di Monk's House, il rifugio della Woolf nell'East Sussex, ma ormai è distratta da altre avventure. Altre passioni le scaldano il cuore, e Virginia lo sottolinea con rassegnata ironia: "Tra due settimane andiamo in Irlanda [...] e lì potrei anche essere spazzata nel mare dal vento. Ma a Vita cosa gliene importerebbe? 'No' direbbe, 'in questa aiuola l'anno scorso avevamo piantato *Petulaneum ridentis*, quest'anno metteremo *Scrofulotum penneum*.' E mi seppellirebbe così, vero Vita?".

Virginia continuerà a scrivere rintanata nel suo rifugio, la famosa "stanza tutta per sé" costruita in fondo al piccolo giardino romantico, dominato da un glicine imponente che si intreccia con una delicata *Clematis montana* aggrappata a un muro di mattoni. I giardini delle scrittrici continueranno a fiorire, ma niente sarà più come prima tra le due amiche.

Anche la casa di Virginia Woolf oggi si può visitare; tutto è rimasto immutato nel tempo a Monk's House, entrando nel cottage sembra quasi di penetrare in un sogno antico. Ti accolgono le eccentriche pareti verdi per cui gli amici la prendevano in giro, e i bizzarri arredi ideati dalla sorella Vanessa e da suo marito Ben, due artisti assidui frequentatori di Bloomsbury, il circolo intellettuale animato dalla Woolf e dal marito Leonard, un cenacolo artistico che stimolò la creatività e il dibattito culturale nell'Inghilterra dell'epoca.

"C'erano divani e tappeti, pareti dipinte come un serraglio, dischi e libri ovunque: la gente stava seduta per terra, tra rumori e risate, voci stridule e svenevoli nitriti."[8]

Nello studio, la calma apparente. Il tavolo da lavoro piccolo ed essenziale è ancora lì. Come identico è lo scorcio che si gode dalla finestra: una siepe, la chiesa, la piccola vasca con gli iris acquatici, il vialetto della passeggiata quotidiana di Virginia verso il fiume. Sempre lo stesso percorso, sempre di pomeriggio dopo aver riempito pagine e pagine, prima a mano, poi rilette e corrette e infine ribattute a macchina. La scarpata che porta al fiume Ouse è sempre lì, così come il ponte che un pomeriggio di marzo Virginia ha deciso di non attraversare, preferendo lasciarsi andare nella corrente gelata. Novella Ofelia, senza più fiori, ma solo pesanti pietre nelle tasche.

"So che Virginia non verrà attraverso il giardino dal suo studio, eppure guardo in quella direzione cercandola. So che è affogata eppure mi aspetto sempre di sentirla entrare. So che il libro è finito, ma io ancora giro pagina. La stupidità e l'egoismo non hanno limiti" ha scritto suo marito Leonard.

Le sue ceneri sono state seppellite nel giardino di Monk's House, sotto il grande olmo.

> *"E se pensate che un solo colore*
> *possa essere monotono, usatene due*
> *e anche tre, sempre che i colori siano*
> *felicemente accostati, il che è talvolta*
> *cosa più facile da ottenersi con le*
> *piante che con gli uomini."*

## SISSINGHURST PER TUTTI

> "Amo i colori, tempi di un anelito inquieto,
> irresolvibile, vitale,
> spiegazione umilissima e sovrana
> dei cosmici 'perché' del mio respiro."[9]
>
> *Alda Merini*

Ancora oggi i giardini di Sissinghurst sono fonte di ispirazione per gli appassionati di tutto il mondo. Molti garden designer hanno "rubato" idee dagli schemi di Lady Sackville-West. E il più imitato è stato proprio il giardino bianco, che per Vita era solo una delle tante "stanze" del suo Eden personale, non certo una filosofia assolutistica, come ci ha confessato lei stessa: "È divertente fare giardini monocolori...", ma aggiunge poco dopo: "E se pensate che un solo colore possa essere monotono, usatene due e anche tre, sempre che i colori siano

felicemente accostati, il che è talvolta cosa più facile da otte-
nersi con le piante che con gli uomini".[10]

Come darle torto? Le compatibilità di carattere e gli accostamenti sono fondamentali per creare i nostri piccoli capolavori
e possono riservare delle sorprese inaspettate, proprio come
i colori nella pittura. Tralasciandone l'uso ossessivo e totaliz-
zante, il bianco rimane pur sempre la componente primaria
di un giardino o terrazzo o balconcino che si rispetti. Aiuta a
far risaltare tutte le altre sfumature. Dove lo metti sta, ma è di
notte che dà il meglio di sé e si trasforma nel re del giardino.
Nel buio, quando tutte le altre tonalità si spengono e diventano dei buchi neri, il bianco s'accende con bagliori lunari e
moltiplica poeticamente la vostra illuminazione esterna. Così
come non possono mai mancare nel vostro spazio esterno le
piante dal fogliame argenteo, che riflettono ogni luce dando
un tocco silver che rischiara le tenebre. Stiamo parlando di
lavande, elicrisi, convolvoli argentei, artemisia e salvia, che è
pure molto utile in cucina.

Come abbiamo visto, arte pittorica e giardinaggio sono due
attività così in sintonia che non è un caso che spesso grandi
giardinieri siano stati pittori e viceversa.

"Il giardinaggio è un'attività che ho imparato nella mia giovi-
nezza quando ero infelice. Forse devo ai fiori l'essere diventato un pittore" diceva Claude Monet.[11]

E la grande paesaggista Gertrude Jekyll, vera pioniera delle

"*Forse devo ai fiori*
*l'essere diventato un pittore.*"

donne in questo campo, nasce come pittrice e in un secondo tempo si lancia nella creazione delle più vivaci bordure e aiuole anglosassoni, meravigliose composizioni di erbacee perenni, fiori stagionali e arbusti insoliti che hanno fatto del cottage inglese quell'icona che tutti onoriamo. Il suo libro *Il giardino dei colori*[12] è ancora considerato una bibbia per i giardinieri di tutto il mondo. Le sue composizioni sono spesso paragonate ai quadri impressionisti o alle scelte cromatiche di Paul Cézanne, che affermava: "Quando il colore ha raggiunto la sua ricchezza, la forma è alla sua pienezza".[13]
Anche Cézanne era un appassionato di giardini. Nella tenuta paterna di Jas de Bouffan, ad Aix en Provence, si era fatto costruire uno studio sotto i tetti da dove dominava il suo panorama prediletto: quello scorcio di viale con gli alberi che è diventato familiare a tutti i suoi estimatori. Di carattere un po' scorbutico e solitario, passava più tempo con il giardiniere che con gli amici. Lo dimostrano i sette ritratti di Monsieur Vallier che, oltre a curargli il giardino, all'occorrenza gli faceva anche da modello.
"Il colore si è impadronito di me: non devo più inseguirlo. So che si è impossessato di me per sempre. È questo il significato di tale momento benedetto. Il colore e io siamo una sola cosa. Io sono un pittore" pare aver detto Paul Klee.

I "giardini" di Paul Klee sono una magia dell'immaginazione, un trionfo di scale cromatiche; le tele che l'artista ha dedicato ai paesaggi e alla natura, oltre a essere i capolavori che conosciamo, possono diventare un punto di riferimento per ogni apprendista giardiniere che si accosti per la prima volta al meraviglioso mondo dei colori. Lasciatevi ispirare dagli accostamenti del suo *Giardino di rose*, che ci rivela tutti i toni del rosa, dal magenta al malva. O fatevi incantare dai gialli e dai verdi del *Giardino di Tunisi* e del *Giardino incantato*. In numerose opere del pittore svizzero torna il tema del giardino, una personale rappresentazione della natura che Klee considerava come una delle più ricche fonti d'ispirazione per la sua continua ricerca sui colori. L'artista era un appassionato botanico, un vero naturalista, e passeggiava per ore in campagna, inoltrandosi nei boschi alla ricerca di fiori e foglie che poi catalogava minuziosamente nel suo personale erbario: oggetto di cui era molto geloso, oggi conservato come una reliquia nel museo a lui dedicato a Berna, in Svizzera.

> "Il vermiglio è un rosso che assomiglia a una passione acuta, un pezzo d'acciaio incandescente che si può refrigerare nell'acqua. Lo assorbe il blu e non sopporta nessun impasto con un colore freddo. Il suo riverbero si risolve in se stesso. Per questa ragione è un colore più amato del giallo."[14]
>
> *Vasilij V. Kandinskij*

## "*Il colore si è impadronito di me:*
## *non devo più inseguirlo.*"

Se vi affascina il mondo dei colori in tutte le sue sfumature, affidatevi alle suggestioni del libro di Kandinskij *Lo spirituale nell'arte*, dove l'artista espone la sua personalissima teoria sui colori mettendoli in parallelo con i suoni della musica: per lui entrambi sono vibrazioni sentimentali che ci arrivano dritte all'anima. Il rosso porta sempre con sé una forte nota di un'energia immensa, un'agitazione e un ardore che ricorda i toni "appassionati del violoncello". Il verde richiama le note incantate del violino, il giallo squilla come una tromba, l'azzurro chiaro ci addolcisce come il suono di un flauto, mentre il bianco corrisponde a un silenzio, a una pausa creativa carica di aspettative… L'importante è mettersi in ascolto. "Il viola è il rosso liberato dall'umanità a opera del blu."[15]
I colori hanno sempre rappresentato un'ossessione amorosa per gli artisti, ma c'è chi ha trasformato un solo colore in un dolce tormento creativo, un'idea fissa a cui ha dedicato le sua intera vita. Yves Klein è addirittura arrivato a brevettare il suo blu col nome di International Klein Blue (IKB): dopo una serie di studi su un ventaglio di colori più vasto, sentì l'esigenza di concentrarsi su quest'unica tinta, il blu, che "doveva unificare il cielo e la terra e dissolvere il piano dell'orizzonte". Con questo oltremare saturo e luminoso, che lui chiamava "la più perfet-

ta espressione del blu", realizzò moltissime opere monocrome nel tentativo di tradurre per noi il valore dell'infinito, il cielo e l'atmosfera dove siamo tutti immersi. Klein morì nel 1962, all'età di 34 anni, ma aveva creato oltre mille dipinti con il suo adorato colore: "Per me ogni sfumatura di colore è, in un certo senso, un individuo, una creatura vivente dello stesso tipo del colore primario, ma con un carattere e un'anima sua propria".
Un altro grande pittore vittima del blu e dei giardini fu sicuramente Jacques Majorelle, un artista francese che, dopo aver girato per il mondo, s'innamorò delle luci e delle atmosfere del Marocco, comprò un terreno nel centro di Marrakech e costruì la sua opera più originale sotto forma di giardino. Ancora oggi quando si mette piede in questo luogo speciale si è colpiti come uno choc dal blu elettrico con cui sono dipinti muri, fontanelle, sentieri e le pareti di una villa modernissima, anche se datata 1920. Un blu così forte, deciso e inconfondibile, che da allora fu riconosciuto per acclamazione come "Blu Majorelle". Tutto intorno, una collezione di piante grasse, preziose specie botaniche provenienti dai cinque continenti, palme e bambù e buganvillee dalle mille sfumature che accendono una tavolozza inimitabile con l'aiuto di enormi vasi dipinti in giallo elettrico e verde veronese. Un posto unico per ricchezza di profumi e colori che, in seguito alla morte dell'artista, fu lasciato cadere in degrado e sarebbe andato perduto, vittima delle consuete speculazioni edilizie,

se non fosse stato acquistato e restaurato dallo stilista Yves Saint Laurent e dal suo compagno Pierre Bergé, che ricorda: "I giardini Majorelle e noi, una grande storia d'amore. [...] All'epoca i soli visitatori erano dei giovani studenti che pagavano l'ingresso con un dirham. Noi andavamo tutti i giorni, poi tutte le sere. Qualche anno più tardi acquistammo una casa proprio di fianco a quel luogo incantato e poetico. Poi venimmo a conoscenza che stava per essere venduto il giardino per trasformarlo in un hotel. A quel punto lo acquistammo immediatamente".[16] Dopo aver trovato i fondi per il restauro, il complesso dei giardini Majorelle venne donato dallo stilista alla città di Marrakech, dove ancora oggi è aperto al pubblico nel suo immutato splendore e continua a essere una fonte di ispirazione preziosa per chi lo frequenta.

"Il colore è il dolore della luce."[17]
*Johann W. Goethe*

Non voglio dire che sia necessario studiare la teoria romantica dei colori di Goethe per sistemare quattro piante sul vostro balconcino, ma è affascinante sapere che ogni sfumatura nasconde qualcosa; e se Klein firmava il cielo come un suo quadro, voi potete farlo con la vostra aiuola di violette.
Quindi non prendete sottogamba la scelta di una tonalità. Nel momento in cui comprate una rosa arancione o una petunia viola, sappiate che state componendo un'opera che sarà

esposta ogni giorno sotto gli occhi di tutti. Non proprio al Louvre, ma in un luogo che per voi è sicuramente più prezioso di un museo: la vostra casa.

Un'ottima regola giardiniera è quindi imparare a divertirsi e a rischiare con la tavolozza di colori offerta direttamente dalla natura. Scoprirete con gioia che nell'arte della composizione delle piante non valgono le classiche regole del bon ton della moda. Per fortuna in questo campo siamo liberi dal fashion dominante. "Blu e marrone piace solo al cafone" è un assioma totalmente sballato nel giardinaggio. Infatti una delle prime lezioni che apprendiamo a Sissinghurst è che il blu in giardino sta bene su tutto. Lady Vita ce lo ha dimostrato accostando una rosa rampicante rosso fuoco "Allen Chandler" a un cespuglio rigoglioso di *Ceanothus* blu "Percy Picton", con un effettone da applauso. Delle sfumature di questo fondamentale colore, a Sissinghurst non ne manca nessuna: *Agapanthus* e *Clematis* color del cielo, muscari blu oltremare, e addirittura un rosmarino, introvabile altrove, che regala una fioritura blu scura mai vista prima. Bisognerà andare in visita e supplicare in ginocchio il capo giardiniere per farsene regalare una talea da riprodurre. Lady Sackville-West capirebbe, è stata lei la prima ladra di semi e rametti in giro per il mondo. Da un suo rocambolesco viaggio in Persia, Vita riportò alcuni semi di mimosa raccolti sugli altipiani montagnosi, li piantò religiosamente a Sissinghurst e, da pollice verde quale era, ottenne i germogli al primo tentativo. Naturalmente l'albero è ancora lì che spande le sue infiorescenze, che si muovono al vento come "soffici anatroccoli". Così le descrive Vita in una delle sue eccentriche metafore.

Ma tra tutte le tentazioni dell'arcobaleno vegetale vi sconsiglio le novità dell'ultim'ora, tonalità inesistenti in natura che nascono come Frankenstein da sperimentazioni genetiche estreme, vegetali creati in laboratorio per stupire il mercato: rose blu notte, calle grigio topo... A volte basta chiedersi: ma se in natura non c'è una rosa senza spine, eternamente rifiorente, con delle sfumature nere come il carbone, un motivo ci sarà? Forse è semplicemente brutta, cacofonica, respinge l'impollinazione. O forse la natura ha un senso estetico assai più elevato dell'essere umano. Se siamo a corto d'ispirazione, è sempre la letteratura a venirci in soccorso nei momenti di difficoltà. "La signora Dalloway disse che i fiori li avrebbe comperati lei [...]. Era l'ora, tra le sei e le sette, in cui ogni fiore – rose, garofani e iris e lilla – risplendono di bianco e violetto, rosso, arancione. Ogni fiore sembra ardere di luce propria, soffice, puro, ognuno nella sua aiuola velata di nebbia."[18] (Virginia Woolf)

## LE SFUMATURE DEL VERDE

Un grande paesaggista francese, Louis Benech, ci ricorda che: "Contrariamente al pittore, che è libero di scegliere tutti i suoi colori, il giardiniere dovrà comporre obbligatoriamente con la dominante del verde".[19]

Molti dimenticano che anche il verde è un colore e ha un'infinità di varianti irresistibili. Per sperimentare questa ebbrezza del verde consultate un catalogo di hosta, piante rigorosamente da ombra che regalano un fiore insignificante, ma in compenso possiedono foglie spettacolari, che sembrano dipinte a mano. Tinta unita, variegate, striate di bianco… possono passare dal verde acido a quello scuro quasi blu, senza trascurare il clorofilla e il pistacchione. Si possono creare incredibili composizioni astratte, divertendosi ad abbinare le sfumature più impensabili. Le hosta sono facili da curare, come le ortensie apprezzano un terreno acido e quella bella umidità da sottobosco che le fa apparire sempre croccanti. Purtroppo pare che siano veramente gustose, visto che sono la preda preferita dalle lumache. Vi alzate una mattina e trovate la vostra composizione pittorica mezza mangiata da uno stuolo di queste simpatiche guastafeste. Sono abbastanza contraria ai veleni in commercio: quelle palline bluastre che fanno fuori le lumache nel giro di una notte. Se devono essere eliminate, ci sono metodi più "dolci", come il vecchio ritrovato della birra, che le attira più della verdura (come dargli torto?). Lasciate un piattino su cui avete versato una modica quantità di birra, sulla marca non fanno storie, e il gioco è fatto. Si ubriacano e non si sa che fine fanno; qualcuno le ha viste all'alba a un raduno reggae per lumache stonate, ma chi me l'ha raccontato era più

*"Il verde riveste la terra con
la calma, avanza e si ritira
con le stagioni. In esso v'è la
speranza della Resurrezione."*

sballato di loro e quindi non gli darei retta più di tanto. In realtà
passano a miglior vita, ma almeno nell'estasi dell'ubriachezza.

"Il verde riveste la terra con la calma, avanza e si ritira con le
stagioni. In esso v'è la speranza della Resurrezione. Avvertiamo che il verde ha più sfumature di qualsiasi altro colore,
quando i germogli spezzano il grigio dell'inverno sulle siepi.
Giorni assolati e visionari" diceva Derek Jarman.[20]

Il colore per antonomasia della natura non lo trovate solo nelle
foglie, ma anche nei fiori: "Come rinunciare a un'*Hydrangea
arborescens Annabelle*?" mi disse con voce nasale un elegante
giardiniere durante un sopralluogo nel suo esclusivo vivaio. A
parte che ce la si può fare benissimo, si sopravvive con ben più
tragiche privazioni – lo snobismo di certi esperti del settore ti
farebbe venir voglia di fare un rogo con palette e rastrelli – ma,
mi duole ammetterlo, non aveva tutti i torti. Questa ortensia
ci regala delle corolle a palla che virano dal bianco al verde
chiarissimo, una sfumatura che commuoverebbe anche un incallito produttore di piante di plastica. Ma non solo. Le ortensie sono un capitolo a parte: cangianti come camaleonti, sui

cataloghi le vedete passare dal bianco al viola, al blu oltremare, al rosso vinaccia, ma in realtà nelle sfumature più scure hanno bisogno di un aiutino. In commercio troverete un azzurrante e un arrossante per ortensie, ovvero ferro o calcio a seconda dei risultati che volete ottenere. Se desiderate un'ortensia bluastra con bordature rosa potete partire da una pianta rosa scuro e nutrirla di azzurrante quando sta per sbocciare. Sono impressionanti le sfumature che si possono ottenere una volta presa la mano. E i vostri fiori non saranno mai uguali, anno dopo anno. Mia nonna Ricca, invece, usava pezzi di fil di ferro arrugginito, vecchie chiavi, chiodi ricurvi e altre schifezze che ficcava nel terriccio ai piedi dell'ortensia da azzurrare. Vi assicuro che funziona. Anche se a forza di caricare l'aiuola di questi reperti, se non state attenti rischiate di beccarvi il tetano. Qualunque sfumatura vogliate raggiungere, l'importante è partire da belle piante sane, che già rappresentano una promessa.

Per quel che riguarda le ortensie non ho dubbi: il miglior vivaio è sicuramente quello Paoli Borgioli di Firenze. Le fondatrici sono due intrepide collezioniste della prima ora, che sono riuscite a dimostrare che questi fiori danno il meglio anche in Italia e non solo nell'umidità fronte oceano di Normandia o Bretagna. Il vivaio ha un ricco sito internet con un bellissimo catalogo online, consultarlo è un antidepressivo naturale.[21]

Si possono scegliere le macrophylle con fiori giganti come l'imperdibile Alberta, o delle specie più rare importate diret-

tamente dal Giappone che esibiscono fioriture simili a mer-
letti e hanno nomi che suonano come poesie zen.

Molto speciale è l'*Hydrangea serrata* "Odoriko amacha". *Odoriko* in giapponese vuol dire "ballerina" e *amacha* "tè dolce",
perché le foglie di questa ortensia sono dolci come lo zucchero e producono una bevanda leggendaria.

In Giappone si celebra la nascita del Buddha con una festa,
l'Hana Matsuri, che letteralmente significa "festa dei fiori".
Nei templi vengono preparati litri di uno speciale tè ottenuto
facendo macerare alcuni tipi di foglie dell'ortensia Odoriko
amacha. Questo prezioso liquido zuccherino si versa sulle statue che raffigurano il Buddha, come un primo bagno inaugura-
le al neonato che crescendo diventerà "l'illuminato". In passato
la gente pensava che questa bevanda avesse poteri magici: veniva usata come inchiostro per scrivere formule magiche che poi
venivano appese al portone di casa per tenere lontani serpenti,
insetti e altri animali sgradevoli. L'infuso di amacha oggi si trova in commercio anche in Italia. Forse non sarà buono contro
i ragni, ma con i biscotti alle cinque è squisito.

Molte ortensie giapponesi sono state importate dal Sol Levan-
te da una giardiniera appassionata, dotata di un gusto e di un
intuito naturale per le piante, che mi ha fatto conoscere usi e
costumi di questi piccoli capolavori. Un'amica che purtroppo ci
ha lasciato troppo presto. Cara Randy, ci manchi tanto, ma la tua
Dafne troneggia sempre più bella nel mio giardino romano.

# 7

# DIMMI CHE GIARDINO FAI
# E TI DIRÒ CHI SEI

\* \* \* \* \*

*"BELLO, BELLEZZA: Domandate a un rospo che cos'è la bellezza, il vero bello, il* to kalòn: *vi risponderà che consiste nella sua femmina, coi suoi due occhioni rotondi sporgenti dalla piccola testa, la gola larga e piatta, il ventre giallo, il dorso bruno."*[1]

*Voltaire,*
Dizionario filosofico

*"Ogni scarrafone è bello a mamma soja."*

*Anonimo napoletano*

Arruffato e disordinato o pettinato e disciplinato? All'inglese o alla francese? Dall'esterno può sembrare un'oziosa conversazione sui sistemi elettorali che l'Italia vorrebbe adottare ma che alla fine si risolve sempre nel nulla, e infatti nell'indecisione continuiamo a votare qualcuno che pensa a tutto per noi. Per fortuna in giardino possiamo evitare lo stesso errore; per le piante non c'è nessuna legge "Porcellum" che ci costringe

155

a delegare le preferenze delle candidate alle nostre bordure, aiuole o balconcini. Qui siamo liberi di scegliere se ci sentiamo più rappresentati da un terrazzo di sole erbe aromatiche o piuttosto da un total rose in tutte le sue avvenenti sfumature. La democrazia del giardinaggio è così aperta che ci può disorientare: meglio tanti vasi di diverse dimensioni o una vasca gigante con un trionfo di graminacee ornamentali? Il bello è che qualunque cosa si scelga, se non funziona, si può subito tornare a votare e cambiare tutto a proprio piacimento.

"Ho letto molto, e trovato solo incertezza, menzogna e fanatismo. Delle cose essenziali so poco più di quanto non sapessi quando ero lattante. Io preferisco piantare, seminare ed essere libero" ha affermato Voltaire.[2]

I due grandi partiti della democrazia del giardinaggio si rifanno alle principali scuole dell'estetica vegetale: da una parte l'esuberanza anarchica delle fioriture dei cottage inglesi e delle libere praterie rousseauiane, dall'altra la linearità rassicurante dei giardini alla francese o all'italiana, dove i veri protagonisti sono il disegno geometrico, la dittatura degli spazi e delle proporzioni.

Ai tempi di Voltaire, il dibattito tra i due stili era acceso e polemico come in un programma di Michele Santoro (che secondo me preferirebbe di gran lunga avere come ospiti Diderot e Montaigne piuttosto che Ghedini e la Santanchè). Dietro le due concezioni, in realtà, si nascondevano

*"Delle cose essenziali so poco più
di quanto non sapessi quando ero
lattante. Io preferisco piantare,
seminare ed essere libero."*

diverse interpretazioni etiche della società dell'epoca. Il nuovo giardino informale voluto dagli innovatori, Rousseau in testa, era interpretato come l'espressione di una nuova classe sociale che spingeva per una rivoluzione; mentre la geometria formale dei parchi, dove la natura è asservita e dominata dall'uomo, era considerata lo specchio del potere tirannico della vecchia nobiltà.

Oggi lo stesso interrogativo amletico – "Linee squadrate o aiuole multiformi?" – perseguita qualunque giardiniere volenteroso alle prese con la costruzione del suo spazio. Ma il bello è che nessuno vi taglierà la testa nel caso doveste scegliere aiuole perfettamente ottagonali.

La soluzione estetica garantita non esiste, perché "il bello", come ci ha insegnato Umberto Eco nella sua enciclopedica *Storia della bellezza*,[3] è sempre relativo alla cultura e all'epoca che lo esprime.

Come diceva Hume, "la bellezza delle cose esiste nella mente che le contempla".[4]

Giardini e terrazzi dipendono dalla vostra personalità, il che forse è ancora più rischioso, dal momento che riflettono in pieno il carattere di chi li realizza: dimmi che giardino fai e ti dirò chi sei... Infatti io, che sono una disordinata cronica, distratta e accumulatrice di ogni inutilità, possiedo un giardino affollato, con svariate sovrapposizioni, pieno di anfratti e strane simbiosi tra piante che, nel tempo, sono state costrette a diventare amiche e si contendono a fatica il famoso "posto al sole".

Un mio amico, preciso come un orologio svizzero, dà vita ad aiuole ordinate come i suoi cassetti della biancheria: una fila di rose rampicanti, seguita da un'altra ordinata di *Aster*, che a sua volta lascia spazio all'ultima fila di bulbose basse diligentemente disposte dietro piccole aste di bambù che delimitano la bordura.

L'erba del vicino è sempre più verde, e io contemplo ammirata come le piante obbediscano docili ai suoi progetti regolari senza muovere una foglia. Allora per fargli rabbia cito il grande poeta Fernando Pessoa che scriveva: "Poveri fiori nelle aiuole dei giardini ordinati: sembrano aver paura della polizia".[5] Ma la mia è tutta invidia.

Di fronte a questo immenso catalogo di possibilità è sempre meglio trovare una strada e poi evitare di tradirla in continuazione. Anche se si tratta di allestire un piccolo spazio, individuate un filo conduttore che rispecchi il più possibile i vostri gusti e la vostra creatività. Qualsiasi esuberanza caratteriale è preferibile all'emulazione forzata di riviste patinate che vi possono spingere a eccessi senza ritorno, con il rischio di dilapidare tutto il budget a vostra disposizione in spalliere per rampicanti esotici e preziosi sassolini di fiume color amaranto importati a caro prezzo dal Brasile.

## LA BELLA ADDORMENTATA NEL PARCO

Il giardino è lo specchio dell'anima, cartina tornasole dei vostri desideri, perciò date libero sfogo ai vostri sogni più reconditi, non frenate i vostri istinti. E se alla fine quello che avete sempre vagheggiato è un bel nano da giardino non privatevi di questa gioia perversa.

Anche George Harrison, il Beatle più posato, nella sua splendida tenuta vittoriana di Friar Park aveva piazzato degli gnomi; non me lo sto inventando, è tutto certificato nella foto di copertina del suo esordio solista *All Things Must Pass*,[6] dove lo vediamo seduto insieme a quattro nanetti d'epoca di marmo bianco. Qualche maligno ha ventilato che fosse una sottile allusione agli altri componenti del celebre quartetto appena sciolto (forse riferito al loro carattere "di coccio"), ma, conoscendo la sobrietà dell'ex Beatle, mi sembra la classica maldicenza.

Sir Harrison era, a detta dei suoi biografi, un vero appassionato della *verdure*, tanto da considerarsi lui stesso più un giardiniere che un musicista.

Ogni giorno si dava da fare personalmente per estirpare le erbacce nell'immenso parco di 36 acri. Non a caso la sua autobiografia *I, me, mine* è dedicata a tutti i giardinieri del mondo.[7]

"In realtà sono una persona semplice. Non voglio stare nel business a tempo pieno perché sono un giardiniere. Pianto i fiori e li osservo crescere. La sera non girovago per locali o feste. Sto a casa e guardo il fiume scorrere." Insomma, proprio tutto da solo non faceva: vista l'estensione della proprietà il musicista divideva le gioie del giardinaggio con i due fratelli più grandi, Harry e Peter, e una squadra di otto aiutanti, più un botanico che sovrintendeva alle acclimatazioni delle varie specie che George raccoglieva ovunque e seguiva amorevolmente nella crescita.

Con la moglie Olivia frequentava l'Hillier Arboretum nell'Hampshire,[8] i giardini della Cornovaglia e la prestigiosa mostra annuale Chelsea Flower Show.[9] Harrison prendeva nota di tutte le novità, conosceva a memoria i nomi scientifici delle piante che possedeva e sapeva di quanta acqua e quanto sole avevano bisogno: *Here comes the sun*, verrebbe da dire.

Era diventato un collezionista e amava in particolare le felci e le betulle, come ricorda la moglie Olivia: "Gli piaceva che tutto fosse in movimento. Così sperimentava la combinazione tra gli aceri e le felci, e scopriva che, accostati agli anemoni giapponesi, se ne ricavava un'armonia in perfetta sintonia con l'atmosfera del posto".[10]

Insomma, non si faceva mancare niente e, vista la pressione a cui era sottoposto, considerava l'attività giardiniera una vera e propria necessità per la sua salute mentale. "Preferiva non pensare troppo al di là del 'qui e ora' per paura di essere sopraffatto dalla portata delle cose intorno a lui. Il giardinaggio era l'antidoto ideale, come suggerisce il titolo della sua canzone *Be Here Now*."[11]

Essere qui, adesso. È proprio questo il grande segreto dei giardinieri: riuscire a spazzar via qualunque pensiero ed essere completamente immersi e concentrati in quel che facciamo, nel momento esatto in cui lo stiamo facendo.

Oggi la grande passione dell'ex Beatle viene portata avanti dalla moglie che continua a curare il parco e ad arricchirne il fascino acquistando preziose opere botaniche. Come la bellissima signora dormiente, *The Dreaming Girl*, costruita con piante di varie sfumature dai geniali artisti Pete e Sue Hill per il Chelsea Flower Show del 2006.

Oggi questa voluttuosa donna d'erba si riposa appollaiata sulle distese di Friar Park in compagnia dei famosi nanetti, proprio come in un giardino delle favole, frutto della fantasia del suo creatore. Un luogo speciale come l'Octopus's Garden della canzone dei Beatles cantata da Ringo Starr:

> "We would be so happy you and me
> no one there to tell us what to do
> I'd like to be under the sea
> in an octopus's garden with you".[12]

L'ispirazione per questa canzone, una delle poche composta dal batterista dei Beatles, nasce in un caldo agosto estivo del 1968 in Sardegna, dove Ringo stava trascorrendo le vacanze con la famiglia (ad averlo saputo allora si scappava di casa apposta per raggiungerlo). È arcinota la simpatica loquacità dei pescatori locali, e infatti il baronetto rimase incantato dai loro racconti sulle abitudini dei polpi che se ne vanno a zonzo nel profondo dei mari in cerca di sassi, coralli e oggetti luccicanti per costruire il loro personale giardino.

Non so se questa meravigliosa storia sia frutto della fantasia, ma grazie ai pescatori sardi abbiamo avuto in regalo questa tenera canzone. Il giardino dei polpi costruito con pietruzze colorate e anemoni di mare è un esempio di come dovremmo procedere anche sulla superficie terrestre, senza paura di miscelare piante, oggetti e reperti che ci ispirano.

## THE WASTE LAND

Non so se Derek Jarman si sia ispirato alla canzone dei Beatles, ma il suo è il giardino più sottomarino, originale e poetico che io abbia mai visto. Scenografo, pittore e regista, Jarman era un artista multiforme, quasi rinascimentale, che ci ha regalato opere controverse: dalla scenografia del film *I Diavoli* di Ken Russell,[13] a romanzi, quadri, poesie e lungometraggi anticonformisti. In un libro, *Derek Jarman's Garden*,[14] ci ha raccontato l'affascinante storia del suo giardino. C'era una volta un pezzo di terra brulla che si estendeva all'ombra della centrale nucleare di Dungeness, nel Kent; un terreno arido e pietroso, spazzato dal vento, che l'artista con dedizione e pazienza, come il polpo della canzone, è riuscito a trasformare in un luogo incantato, raccogliendo conchiglie e legni sbiancati dalle onde, trapiantando cardi e cavoli di mare cresciuti selvaggi nei dintorni.

Jarman, colpito da AIDS, si è rifugiato in questa casa solitaria: quando la malattia ha cominciato ad avere la meglio sulla sua vita, il giardinaggio è diventato – come spesso accade – la terapia più efficace.

> "Qui, nell'ultimo lembo di mare
>     ho piantato il mio giardino
>     armato di denti di dragone
>     per difendere l'ingresso.
>     Guerrieri forgiati nel metallo
>     contro chi arriva coi suoi reclami sconvenienti
>     anche fino alla fine del mondo.
>     Mi ha rincorso un letargo insondabile,
>     alte onde di dubbi mi hanno travolto,
>     mi hanno lavato via i pensieri.
>     Sono tempeste che infuriano con lacrime salate,
>     bruciando il mio giardino,
>     Getsemani ed Eden."[15]

Il regista crea il suo "Eden e Getsemani" nel tempo che gli rimane, un personale mosaico fatto di reperti trovati sul lungo-

163

mare, piante grigie che si illuminano al sole, eccentriche sculture costruite con vecchi ferri arrugginiti, aiuole circondate da cerchi di sassi bianco latte, cespugli salmastri, santolina e sambuco; e, piano piano, uno dei luoghi più inospitali della Terra si trasforma in uno spazio magico che oggi, a diciassette anni dalla sua morte, resta un'opera d'arte che continua a vivere, un avamposto di bellezza in un mondo desolato.

Un giardino è un atto d'amore nei confronti della Waste Land, la terra desolata che il poeta T.S. Eliot ci ha descritto nel suo capolavoro; un paesaggio inospitale che rispecchia i nostri deserti interiori, distese brulle di solitudini che proviamo a esorcizzare con ogni mezzo. La nostra condizione effimera di umani mortali ci rende fragili. Abbiamo bisogno di interpretare la natura, di farcela amica per cercare di rispondere alle domande epocali che ci ossessionano durante la nostra breve permanenza in questo mondo.

> "Aprile è il mese più crudele, generando
> lillà dalla terra morta, mischiando
> memoria e desiderio, eccitando
> spente radici con pioggia di primavera.
> L'inverno ci tenne caldi, coprendo
> la terra di neve smemorata, nutrendo
> una piccola vita con tuberi secchi."[16]

E in ogni istante della nostra esistenza le piante ci insegnano il ciclo della vita, sono lo specchio della nostra condizione, ci indicano qualcosa che rifiutiamo di vedere. Lo splendore di una rosa nel pieno della sua fioritura precede di poco la sua ineluttabile decadenza: sarà per questo che i fiori condividono tutti gli eventi più significativi della nostra presenza sulla Terra?

Dalla nascita alla morte abbiamo bisogno che la natura ci accompagni con la sua armonia e il suo messaggio di eterna rinascita. Ogni cultura ha i suoi fiori tradizionali per celebrare i riti legati agli avvenimenti più importanti.

In Italia il crisantemo accompagna da sempre il giorno dedicato ai defunti, ma purtroppo la nostra tradizione è un po' triste e punitiva, e festeggiamo il 2 novembre con una mestizia quasi iettatoria.

Tutt'altra musica in Messico, dove la stessa data si trasforma in una festa gioiosa, quasi pagana, e i cimiteri dei paesi vengono trasformati in meravigliosi giardini momentanei grazie a un susseguirsi di accecanti composizioni floreali a base di tageti arancioni. All'entrata dei camposanti sono allestiti banchetti dove si vendono bevande di ogni genere, tequila compresa; si portano da casa i cibi preferiti dai parenti scomparsi, perché la festa prevede un ideale ricongiungimento tra vivi e morti. In Messico questo incontro non è considerato così simbolico, e si prende molto sul serio: intere famiglie si accampano per due giorni e due notti sulla tomba dei loro cari trasformata in uno spazio fiorito, mangiano e bevono insieme agli amici che arrivano in visita, a sconosciuti, turisti e curiosi.

Più che una funzione religiosa sembra di partecipare a un party, un vero rave del 2 novembre. Si ride e si chiacchiera con il bicchiere in mano, in una calca di gente che rende quasi impossibile ogni movimento all'interno dei cimiteri, e ci si ritrova involontariamente a calpestare una tomba scusandosi con il parente di turno che sorridendo vi offre un dolcetto.

Questo scenario potrà anche apparire blasfemo, ma in realtà è ispirato da una gioiosa spiritualità che accetta l'idea della morte come indispensabile premessa per la vita e cerca di ingraziarsela. Così, per esorcizzare la paura, si cucinano squisiti dolcetti canditi a forma di scheletri e teschi di zucchero che adornano le aiuole fiorite e i balconi delle case.

Può succedervi quello che mi è capitato una mattina a Pátzcuaro, nel Michoacán, centro indiscusso di queste festività. Alloggiavo in una piccola *posada* insieme a mia figlia Adele e all'amica di sempre Orsetta; eravamo in quel meraviglioso stato di felicità sospesa che si accompagna all'istante che precede l'arrivo della colazione in camera, che pregustavamo ricca di dolci e gustose schifezze. Ma in bella mostra sul vassoio del caffè ci sono arrivati, non richiesti, anche tre agghiaccianti teschietti di zucchero con decorazioni floreali e il nostro nome di battesimo stampato sulla fronte con colori al neon. Non è una bella sensazione ritrovarsi, appena svegli, a tu per tu con la propria effigie mortuaria che vi sorride tra le brioche. Ma dopo il primo impatto negativo ce le siamo divorate con gusto (ognuno la sua). E almeno per quel giorno siamo riuscite a sconfiggere la morte insieme a tutti gli abitanti del Michoacán.

## A CIASCUNO IL SUO GIARDINO

Non vi sto consigliando di trasformare i vostri spazi verdi in allegri cimiteri, ma la bellezza di certi allestimenti inusuali spesso ha più fascino dell'opera leccata dei "pasionari" del prato all'inglese spalmato ovunque o delle siepi potate a forma di fenicottero.

Se si ha la fortuna di possedere anche un piccolo spazio verde da vivere, si dovrebbe considerarlo un compagno ideale nei momenti di solitudine, un atterraggio dolce per i pensieri più tristi, uno scenario perfetto da condividere con gli amici, non un museo a cielo aperto dove ostentare il nostro privilegiato stile di vita. Le piante sono complici e versatili e si adattano ai nostri capricci, ma non c'è motivo di farci prendere da una smania di grandeur: guardatevi da emulazioni e invidie che si annidano anche tra gli amanti più puri del giardinaggio.

Da evitare sono i giardini o i terrazzi progettati per stupire e farsi ammirare da amici e conoscenti che vengono costretti a fare il giro "turistico" delle mirabilia del vostro "garden-luna park".

Jean-Jacques Rousseau, amante della semplicità e dei giardini in sintonia con il paesaggio naturale, raccontava che, dopo

167

una visita in uno di questi parchi barocchi, alla fine di una passeggiata che sembrava più una corsa a ostacoli tra tempietti, cascatelle e trovate stupefacenti, chiese con gentilezza alla padrona di casa: "Complimenti, ma il giardino dov'è?".

## IL GIARDINO DEL RE

Il parco più imponente e ambizioso del mondo è nato da un basso sentimento, anzi veramente pusillanime. La reggia di Versailles non esisteva ancora quando Nicolas Fouquet, il tesoriere di re Sole, cominciò a progettare un giardino maestoso nella sua tenuta di Vaux-le-Vicomte. Per realizzarlo aveva chiamato i numeri uno del paesaggismo francese dell'epoca. A capo del progetto c'era il prestigioso André Le Nôtre, il giardiniere più richiesto di tutta la Francia, che in seguito avrebbe firmato il Jardin des Tuileries.

Dal momento che Fouquet era molto ricco, poteva permettersi qualsiasi lusso; infatti quelli che oggi chiameremmo i suoi "garden designer" non badarono a spese e diedero vita a un paradiso in Terra, con aiuole che ricordavano i disegni dei tappeti persiani, giochi d'acqua, statue e laghetti da far invidia a un palazzo reale. Il giovane sovrano Luigi XIV fu invitato ripetutamente a Vaux-le-Vicomte dal vanitoso tesoriere che non vedeva l'ora di pavoneggiarsi per la sua nuova magione che a Parigi era già sulla bocca di tutti. Addirittura, come ci racconta Baraton che di Versailles sa tutto, il celebre scrittore Jean de La Fontaine, quello della *Cicala e la formica*, dedica ai giardini, versi estasiati nel suo poema allegorico *Le songe de Vaux:*

"Mi mostrò in sogno un palazzo incantato con grotte, canali, un superbo porticato, dei luoghi tali che per la loro beltate avrei potuto credere opera di fate".[17]

Purtroppo per Fouquet il grande giorno arrivò. Re Sole si presentò al castello in pompa magna e visitò il parco durante una memorabile festa in suo onore con tanto di fuochi d'artificio, danze, teatro e un banchetto prelibato per mille invitati, praticamente la corte al completo. Luigi XIV si complimentò con Fouquet con l'educazione e l'eleganza di un re, e se ne tornò a Parigi come se niente fosse.

Ma nemmeno ventiquattr'ore dopo il tesoriere venne arrestato da D'Artagnan in persona, fu subito imprigionato e processato per corruzione, i suoi beni vennero confiscati all'istante, compreso il castello con tutti i suoi arredi.

Il re non aveva sopportato lo splendore dei possedimenti del suo tesoriere. "Se un uomo al servizio della corona può permettersi un'opera del genere di sicuro ha rubato." Questa semplice deduzione condannò il povero Fouquet a vent'anni di carcere, che allo scadere del termine furono ingiustamente trasformati in ergastolo: fu segregato nella severa fortezza di Pinerolo, dove rimase fino alla sua morte. Come disse Voltaire: "Il 17 agosto, alle sei di sera, Fouquet era il re di Francia, alle due del mattino non era più niente".

Ma questa vendetta feroce non poteva che concludersi in giardino. Il contratto di Fouquet con André Le Nôtre venne rescisso ma ne fu avviato immediatamente uno nuovo con la corte per la realizzazione, nella cittadina di Versailles, di una reggia che vantasse il più bel parco del mondo, o quanto meno più sfarzoso di quello di Vaux-le-Vicomte.

Anche se, a detta di tutti gli esperti, il terreno era ingrato, senz'acqua e infossato, nessuno osò contraddire il sovrano. Le Nôtre, per il capriccio del re, deviò il corso ai fiumi, creò laghi e bacini inesistenti in natura e trasformò la sabbia in fertile humus, naturalmente a costi incalcolabili. Come ricorda il memorialista Saint-Simon la scelta di sua maestà di costruire a Versailles corrisponde solo "al superbo piacere di forzare la natura".

Siamo nel 1661, da allora nasce un fortissimo sodalizio tra due uomini in apparenza molto lontani: il re e il giardiniere. Le Nôtre divenne un vero amico di Luigi XIV, almeno nei limiti in cui si può essere amici del re Sole. A corte si diceva che sua maestà s'inchinava soltanto davanti al suo giardiniere; e non solo lo onorò di un titolo nobiliare, ma quando l'età avanzata non gli permise più di camminare per i viali del parco, gli regalò una specie di portantina simile a quella che lo stesso sovrano usava per i suoi ripetuti attacchi di gotta.

## *"Alle sei di sera, Fouquet era il re di Francia, alle due del mattino non era più niente."*

Le cronache dell'epoca dileggiavano il vecchio Le Nôtre che, nonostante il sublime talento sul campo, non brillava certo per cultura ed eleganza, doti indispensabili per essere accettati a corte, ma tutti morivano d'invidia quando le due portantine accoppiate con il re e il giardiniere facevano il giro d'onore nel parco reale.

A Luigi XIV non importava nulla di quel che dicevano i cicisbei. Condivideva con il suo amico la passione per il giardino che, nel suo desiderio di grandeur, voleva sempre più stupefacente per sbalordire i visitatori e impressionare i nemici. La complessità e la ricchezza delle rappresentazioni simboliche all'interno del parco erano talmente numerose che lo stesso sovrano compilò un libretto d'istruzioni dettagliatissimo dal titolo esemplificativo *La manière de montrer les jardins des Versailles*.[18] In quelle pagine dettava, in sua assenza, le regole da seguire per visitare i giardini con un preciso percorso studiato appositamente da lui per celebrare al meglio, se ancora a qualcuno fosse sfuggita, la sua immensa grandezza.

Ma più di tutto sua maestà amava pavoneggiarsi tra i ricchi giochi d'acqua e i boschetti segreti, dove si intratteneva con le giovani pulzelle selezionate per lui da un severo comitato di esperti che forniva ragazze illibate e fresche da dare in pasto al dragone per il classico rituale del bunga bunga. Tutto si ripete, il potere ci propina ogni volta i suoi soliti, stanchi riti. Chi si diletta con battaglie navali, chi con finti vulcani in eruzione: i giardini dell'ostentazione, da millenni, sono sempre gli stessi. Da Eliogabalo che inondava con cascate di petali di rose i suoi invitati, tanto che a ogni banchetto qualcuno ci lasciava le penne, fino alle moderne Ville Certose, lo scopo resta quello di sedurre e impressionare.

Più che giardini sono installazioni che incarnano il potere e la supremazia, il capriccio e il comando. Luoghi senz'anima che ci interessano come reperti sociologici, perché ci forniscono l'interpretazione storica di un'epoca o di un momento politico, ma non lasciano nessuna traccia nei nostri cuori.

# 8

# EDWARD MANI DI FORBICE
# E L'ARTE TOPIARIA

* * * * *

*"Noi preferiamo le vie tortuose per arrivare alla verità."*[1]

Friedrich Nietzsche

*"Nel labirinto c'è un centro, ma questo centro è terribile,*

*è il Minotauro. Invece, non sappiamo se l'universo ha*

*un centro; magari non è un labirinto ma semplicemen-*

*te un caos, e in quel caso allora sì che siamo perduti."*[2]

Jorge Luis Borges

Uno dei miei giardinieri preferiti è sicuramente Johnny Depp nel capolavoro di Tim Burton, *Edward mani di forbice*,[3] un film di culto che ci racconta la storia di una specie di Frankenstein che in realtà assomiglia molto di più al cantante dei Cure che a un classico mostro.

Edward è una creatura quasi perfetta, il suo padrone però non ha fatto in tempo a dotarlo di mani: al loro posto il ragazzo sfodera un intero campionario di forbici e coltelli che sa usare con rara maestria.

Edward, tenero ed educato nonostante gli artigli, viene adottato da una tipica famigliola della provincia americana che scopre con ammirazione le numerose virtù che queste mani speciali possiedono. Prima fra tutte, una vera abilità nell'arte della potatura che Edward sperimenta subito sul giardino dei suoi benefattori, trasformandolo nell'attrazione del quartiere. Sotto le sue "mani di forbice" cespugli, siepi e ogni genere di pianta assumono in un battibaleno le forme più incredibili e originali. C'è chi fa la fila per godere dell'eccezionale talento del giovane sconosciuto, che dopo i giardini si applicherà anche ai capelli del vicinato e alla toeletta dei cani, creando sorprendenti acconciature per tutti.

Il finale della storia è malinconico-romantico e a noi rimane per sempre la nostalgia dei suoi tagli stupefacenti, tra cui spicca una siepe a forma di Tyrannosaurus rex rampante, una vera opera d'arte scolpita nel verde.

Alberto Angela ci confermerebbe che da sempre gli uomini si sono messi alla prova con questo virtuosismo giardiniero che cerca di dominare la natura, ridisegnandola secondo i capricci del momento: siepi squadrate al millimetro, palle di bosso perfettamente sferiche, galline, cavalli, sedie o papere intagliate nel verde sono solo alcuni dei prodigi di questa ossessione, detta arte topiaria, che può arrivare a estremi al limite dello stucchevole.

Plinio il Giovane, alla fine del I secolo d.C., descrive con orgoglio i suoi giardini toscani impreziositi da bossi tagliati

*"Mi contraddico? Ebbene sì,*
*mi contraddico. Sono spazioso,*
*contengo moltitudini."*

a forma di cavalli e obelischi. Nelle case degli antichi romani più abbienti era di moda avere il proprio nome scolpito all'entrata in un bel cespuglio di lauroceraso; più tardi, negli *horti conclusi* dei frati medievali, siepi di rosmarino potate con "religiosa perfezione" delimitavano i cespugli di aromatiche e officinali.

## IL FASCINO DELLA MATEMATICA

Dopo aver esaltato genio e sregolatezza del giardinaggio arruffato e imprevedibile, devo confessare che subisco anch'io il fascino della proporzione matematica. La pulizia lineare delle fronde plasmate ad arte dal giardiniere che ha deciso di sostituirsi per un attimo al creatore mi intriga non poco. "Mi contraddico? Ebbene sì, mi contraddico. Sono spazioso, contengo moltitudini."[4] Questa frase di Walt Whitman è la mia massima preferita. Non a caso stiamo parlando dell'autore di *Foglie d'erba*: se si è vittime di un'ossessione lo si è fino in fondo.

Non so se anch'io contengo moltitudini, ma svariati giardini ideali sicuramente sì. E tra questi, ai primi posti della mia classifica personale troneggia il Jardin du Palais Royal, il più segreto rifugio verde di Parigi. A pochi passi dal Louvre, rin-

177

chiuso dalla severa geometria di palazzi reali, questo giardino non sarebbe lo stesso senza la semplice potatura perfettamente squadrata degli alberi di carpino che sfilano maestosi inseguendo la linea delle colonne in una gara di prospettive.

Quando Luigi Filippo d'Orléans aprì i giardini del suo Palais Royal a tutti i cittadini di Parigi, sotto gli alti porticati spuntarono botteghe, caffè, ristoranti e teatri, e il piccolo parco si trasformò in un luogo d'incontro mondano e di conversazioni intellettuali, nonché uno dei punti di ritrovo preferiti dai primi rivoluzionari che, cospirando amabilmente sotto le fronde e ai tavoli dei caffè, prepararono la presa della Bastiglia. "In piedi su un tavolo davanti al Café de Foy il 13 luglio 1789 Desmoulins mobilita il popolo invitando i passanti a prendere le armi, [...] Ai rivoltosi occorreva un simbolo che li contraddistinguesse, Desmoulins li invita a sfoggiare un segno distintivo: le foglie strappate dagli alberi serviranno da coccarde, perché il verde rappresenta la speranza."[5] Il giardiniere di Palais Royal sarà stato sicuramente della partita.

Questo e altri gustosi aneddoti sono contenuti nella preziosa *Guida alla Parigi Ribelle*, che ci svela altri macabri particolari dopo la presa della Bastiglia: "Il 22 luglio la testa di Foulon, intendente generale dell'esercito [...] è portata attraverso i giardini del Palais Royal in cima a un'asta".[6] Abitudine che da allora divenne una moda per parecchi anni nella capitale francese. Sempre da questo giardino ricco di storia parte una delegazione composta da migliaia di donne parigine alla volta della reggia di Versailles per riportare, con le buone o con le cattive, i reali in città (come sappiamo le maniere poi furono piuttosto rudi, con un finale degno della rivolta più famosa del secolo). Le vicende legate a questo luogo sono infinite. Una leggenda narra che in uno dei negozi in galleria, la rivoluzionaria Charlotte Corday d'Armont comprò il famoso coltello usato per pugnalare Jean-Paul Marat, al memorabile grido di: "Uccido un uomo per salvarne centomila". Vecchia frase rivoluzionaria che non ha mai funzionato e infatti non funzionò neanche allora.

Oggi i giardini di Palais Royal sono meno tumultuosi ma ugualmente seducenti. Gli alberi potati a squadro come allora si trasformano in una piacevole oasi di refrigerio nelle assolate passeggiate estive. Al posto dei coltelli si possono acquistare scarpe con tacco a stiletto, dal fascino ancor più assassino. Il grande fotografo Robert Doisneau (per intenderci quello del famoso bacio all'Hôtel de Ville che mezzo mondo ha appeso in casa) ci ha lasciato una foto che inquadra perfettamente l'eleganza classica del giardino. Lo scatto è stato realizzato da una finestra della casa di Colette, una camera con vista unica su quello che la scrittrice considerava il "suo" personale giardino parigino. Sembra che soltanto quella vista fosse in grado di consolarla dalla nostalgia per l'abbandono della sua casa di Saint-Tropez con la preziosa pergola di vino moscato. Ancora oggi il giardino racchiuso nel cuore della città appartiene a tutti, è un luogo ideale dove fermarsi, pensare, leggere, riposarsi e, se siete particolarmente ispirati, anche per incontrare fantasmi del passato come il filosofo Denis Diderot. Almeno così è successo a Eugenio Scalfari, come ci assicura nel suo romanzo *Per l'alto mare aperto*,[7] e nessuno fino a oggi ha osato contraddirlo.

## I TEATRI DI VERZURA

L'*Homo sapiens* giardiniere è vorace e senza freni, non si può certo accontentare di semplici cespugli a sfera o alberelli squadrati. La sua frenesia insaziabile lo spinge a volare sempre più in alto con la fantasia e a concepire ogni genere di opere intagliate nel verde: casette, rifugi segreti per convegni amorosi o addirittura veri e propri teatri!

Sono gli affascinanti impianti di verzura, scenografie vegetali molto in voga nelle ville altolocate, con palcoscenici delimitati da compatte siepi potate come quinte, ideali per ospitare gli spettacoli all'aperto.

Ne ho visitato uno, splendido nella sua semplicità, a Villa di Geggiano, nei pressi di Siena.[8] Un proscenio, composto da due arcate barocche ornate da statue raffiguranti la Tragedia e la Commedia, fa da cornice a una serie di quinte ritagliate nei cipressi e nell'alloro. Un palcoscenico incantato dove Vittorio Alfieri, spesso ospite della magione, metteva in prova le sue famose tragedie.

La villa appartiene da sempre ai conti Bianchi Bandinelli che contano nel loro albero genealogico papi, studiosi e archeologi di gran fama, ma anche un "conte rosso", denominato così per aver regalato le sue terre ai contadini e fondato una delle prime cooperative agricole italiane ancora funzionante. Con i pochi ettari risparmiati dalla generosità rivoluzionaria, gli eredi producono un vino squisito e conservano intatta la splendida dimora nella quale si può visitare la stanza da letto dove era ospitato l'Alfieri che, oltre a dormire, si legava alla sedia per mettere alla prova la sua forza di volontà. (Pare che fosse l'unico metodo infallibile per scrivere quelle interminabili tragedie, incubo di tutti i liceali italiani.)

La Toscana, culla delle arti e della letteratura, è la patria di tanti giardini che sono stati nel tempo testimoni privilegiati della creatività dei più svariati talenti, ricevuti con generosità dai nobili nelle loro lussuose residenze. Come Villa "Ambra"[9] di Poggio a Caiano, splendida dimora di campagna voluta da Lorenzo de' Medici, chiamata poi Villa Reale quando fu acquistata nel 1806 da Elisa Baciocchi, sorella di Napoleone e da lui nominata sul campo principessa di Lucca e Piombino.[10] Donna Elisa, una signora colta e dal temperamento sensibile, trasformò il parco rinascimentale della villa in un giardino più romantico, all'inglese, proprio come andava di moda. Anche qui, tra cascatelle e statue si trova ancora oggi un notevole teatro di verzura. Le alte quinte sono ritagliate nelle siepi

181

di tasso, mentre sul proscenio altri cespugli più piccoli, dalla forma sferica, simulano le luci di scena.

L'insieme è un originale impianto arboreo che comprende anche la buca del suggeritore e il podio del direttore d'orchestra. Durante le sontuose feste organizzate dalla principessa, in questa verde scenografia illuminata da fiaccole si è più volte esibito col suo violino Niccolò Paganini, suscitando deliqui ed emozioni in tutta la platea ma toccando in particolare le corde sentimentali di donna Elisa. Come rese noto lui stesso: "La sovrana Elisa, cadendo talvolta in svenimenti al mio suonare, allontanassi sovente per non privare gli altri del piacere". I gossip dell'epoca fanno risalire questi improvvisi svenimenti non solo al potere della musica del maestro Paganini, ma anche ad altre doti del musicista che la principessa si dice conoscesse molto bene. Beata lei!, possiamo solo aggiungere. Purtroppo ai nostri giorni ci può capitare al massimo di ascoltare l'Apicella di turno tra siepi azzurrognole di *Cupressus arizonica* potate con il lanciafiamme a forma di pallone da calcio. Anche il mecenatismo non è più quello di una volta...

## APPENDICE ARIZONICA

A proposito di cipresso arizonica. Mi ero ripromessa di non parlarne, essendo la più discussa delle siepi in commercio, ma si è impiantata in questo capitolo come in milioni di giardi-

182

netti italiani e ora mi tocca spendere qualche parola su questo articolo infestante.

Il nostro guru del giardinaggio italiano, Ippolito Pizzetti, ci aveva avvertito con saggezza di stare alla larga da certi esotismi di moda: se si chiama "arizonica" un motivo ci sarà! Allora perché non lasciarlo nei deserti americani o tra i cactus del Messico? Invece una debolezza nostrana per tutto quello che è lontano e straniero ha spinto generazioni di vivaisti a servirci questa siepe come l'articolo definitivo, "il mai più senza" del giardiniere moderno. Economico, pratico, di facile potatura, impermeabile alle stagioni: praticamente un mostro.

Lo so che bisognerebbe amare tutte le piante del creato, ma io non riesco a essere tanto generosa e continuo a odiarla con tutto il cuore.

Al posto di Noè non avrei mai caricato sull'arca questa famigerata pianta: magari il diluvio se la fosse inghiottita! La sua rigidità plastica mi intristisce, così come le sue sfumature innaturali che si abbinano solo ai colori dei cassonetti dei rifiuti differenziati che spesso le fanno compagnia.

Se c'è bisogno di una siepe fitta e obbediente alle potature preferisco il semplice alloro, di cui si utilizzano le foglie croccanti in cucina, o il bistrattato lauroceraso. Tutto, persino il pitosforo, mi fa più simpatia di una siepe di arizonica.

Per delimitare o schermare uno spazio ci sono migliaia di soluzioni. Non arrendetevi mai alla prima pianta che vi viene proposta, non c'è niente di più deprimente di un giardino o di un terrazzo pigro e privo di fantasia. Per risparmiare ci si può sempre servire del rosmarino nostrano, mediterraneo, sempre-verde, profumato; in estate si accende con una miriade di fio-rellini blu, è perfetto per le potature a squadro e si comporta egregiamente sia vicino all'arrosto che con l'arte topiaria.

Ma per le evoluzioni artistiche di alto giardinaggio da più di cinquecento anni è sempre e solo lui il campione: il bosso.

Ricoperto da mille foglioline lobate è flessuoso e molto lon-gevo: addirittura hanno scoperto bordure vecchie di trecento anni che ancora seguono i disegni originali.[11]

È una pianta facile da accudire. Discreto ed elegante, è il sog-getto più adatto per sperimentare un po' di potatura artistica a domicilio. Addomesticare la natura ribelle, tagliare, ripulire e dare forma alle nostre sculture verdi è l'attività ricreativa che preferisco in giardino. Anche se i risultati sono molto lontani da quelli della villa di Plinio il Giovane, il godimento è assicurato. Con l'esperienza si prende un po' la mano, e non dico dei fenicotteri in volo, ma almeno delle pallette quasi sferiche si riescono a ottenere.

## LABIRINTI DI VERZURA

Ma fermatevi in tempo, non perdete la testa, perché potreste entrare nel tunnel di un "labirinto"; ossessione giardiniera (e non solo) che ha intrigato l'uomo sin dalla notte dei tempi per la sua evidente assonanza con i nostri più profondi meandri mentali.

I labirinti sono meravigliose costruzioni magiche, ricche di cunicoli, percorsi insidiosi, trappole ed effetti speciali costruiti per simulare paura, stupore o vera e propria espiazione.

L'archetipo del labirinto con tutti i suoi disegni simbolici è presente fin dai primi graffiti rupestri. Umberto Eco, che ha un debole per questi antichi rompicapo, ci ricorda: "Se l'immagine del labirinto ha una storia millenaria questo significa che per migliaia di anni l'uomo è stato affascinato da qualcosa che in qualche modo gli parla della condizione umana o cosmica".[12] Non a caso lo scrittore, nel suo libro più famoso *Il nome della rosa*,[13] ha scelto proprio il labirinto come forma architettonica della biblioteca dove si nasconde l'introvabile manoscritto di Aristotele.

Dal dedalo di Minosse che nascondeva il terribile Minotauro a quelli di verzura, passatempi e *divertissements* nei giardini settecenteschi, questo percorso forzato, costellato di incognite e pericoli, ci racconta qualcosa del difficile viaggio della nostra esistenza sulla Terra. Purtroppo alcuni labirinti antichi non esistono più. Quelli enigmatici all'interno delle cattedrali medievali vennero nel tempo eliminati perché si trasformavano in luoghi di gioco per i bambini e distraevano i fedeli dalle funzioni religiose.

È rimasto intatto quello disegnato sul pavimento della cattedrale di Chartres, uno dei capolavori dell'arte gotica, ritenuta patrimonio dell'umanità. Dopo otto secoli e mezzo è ancora un luogo di pellegrinaggio, e sottoporsi al percorso del labirinto non costituisce soltanto un passatempo turistico. Al centro della navata lo schema del dedalo si sviluppa per quasi trecento metri circa in un intricato volteggio che vuole ricordarci il faticoso cammino che ogni credente deve affrontare per raggiungere la conoscenza. Un viaggio verso il bene, sintesi di quello al Santo Sepolcro, che ha il compito di condurre l'uomo verso la sua realizzazione spirituale. Percorso che, visto all'incontrario, potrebbe anche rivelarsi una discesa agli inferi per abbandonarsi nelle braccia del peccato. Come ci racconta Torquato Tasso nella sua *Gerusalemme liberata*, dove l'impenetrabile labirinto è un'astuta costruzione architettonica elaborata dal diavolo in persona. Lo supera l'eroe Rinaldo, per raggiungere il mitico giardino della maga Armida, luogo di piaceri e seduzioni infinite, uno dei tanti Eden dell'amore proibito abitati da fattucchiere, principesse e incantatrici.

In realtà la povera Armida è una delle sfortunate eroine vittime della passione; come spesso avviene in questi poemi epici, la femmina tentatrice viene mollata sul più bello dall'eroe di turno che si ricorda all'ultimo momento della moglie che lo aspetta a casa da vent'anni, o di un'urgente missione da compiere, come per esempio liberare Gerusalemme dai miscredenti.

## "*Mi dispiace devo andare,*
## *il mio posto è là…*"

Come hanno chiosato ottimamente i Pooh: "Mi dispiace devo andare, il mio posto è là…".[14]

E la povera Armida, che si era data da fare parecchio per produrre fichi dalla polpa dolce come il miele e far fiorire rose profumate da offrire al suo uomo, rimarrà lì a veder marcire tutto questo ben di dio mentre restano inascoltati i versi più struggenti del poema che inutilmente invitano ad abbandonarsi all'amore:

> "Cogliam la rosa in su 'l mattino adorno
> di questo dì, che tosto il seren perde;
> cogliam d'amor la rosa: amiamo or quando
> esser si puote riamato amando".[15]

Non è più fortunata la gita, al labirinto di Villa Pisani, sul Brenta, della grande attrice Foscarina e di Stelio, il suo giovane amante, protagonisti di *Fuoco*,[16] il controverso romanzo autobiografico di Gabriele D'Annunzio. La storia d'amore di questa coppia letteraria pare che ricalchi alla perfezione la relazione burrascosa vissuta davvero tra la diva Eleonora Duse e il vate italiano.

Durante una passeggiata romantica i protagonisti del libro si perdono nel famoso labirinto, e Foscarina, colta dal terrore dell'abbandono continua a invocare il nome dell'amante che

si è nascosto per gioco e crudelmente rimane in silenzio senza
risponderle. L'eco della voce della donna, che ripete una parola senza più senso, è il tragico preludio alla fine della loro
relazione e pare che il libro sia anche stato la pietra tombale
della vera passione tra la diva e D'Annunzio.

Dalle cronache dell'epoca si è saputo che la Duse detestò il
romanzo, che considerava troppo personale: il poeta con rara
ineleganza aveva violato totalmente la privacy della loro storia. Ma si sa, mai fidanzarsi con uno scrittore o con un fotografo se non si vogliono far sapere i fatti propri!

La villa a Stra, sul Brenta, vale il viaggio. Suggestiva e regale,
ricca di giochi d'acqua, statue e fontane, possiede ancora lo
splendido labirinto di verzura testimone di tanta storia. Lo si
può percorrere in lungo e in largo fino a una torretta circolare
collocata al centro. Sconsiglio vivamente la gita a coppie in
crisi o con parecchi anni di rapporto alle spalle: molto meglio
affrontare il percorso insieme a una simpatica comitiva di
turisti vocianti e sconosciuti.

Contro ogni logica, l'essere umano continua a progettare labirinti che spuntano come funghi in ogni angolo della Terra.
C'è un'attrazione irresistibile verso questi percorsi carichi di
simboli, contorti come i nostri pensieri, tanto che ancora
oggi gli amanti del genere si riuniscono in confraternite e
associazioni, organizzando una volta l'anno immensi raduni
nei vari dedali sparsi sul pianeta per provare tutti insieme il

brivido del percorso. C'è chi sostiene che il labirinto vegetale più grande del mondo, ufficialmente riconosciuto dal Guinness dei primati, si trovi alle Hawaii. Copre un'area di quasi tredicimila metri quadrati: è il Pineapple Garden Maze della Dole Plantation, realizzato con più di 14.000 piante, fiori di tutti i colori e un catalogo a cielo aperto di tutte le varietà dell'ibisco, pianta nazionale delle isole.[17]

Ma a sbaragliare qualunque altro concorrente sarà sicuramente il labirinto immaginato da Franco Maria Ricci, uno dei più grandi studiosi e appassionati d'arte del nostro Paese, ideatore della storica rivista "FRM", apprezzata in tutto il mondo. Come ci racconta il giornalista Alessandro Gandolfi, dal 2004 l'editore ha abbandonato ogni altra attività per inseguire questo sogno accarezzato da tempo: "In realtà amo i labirinti fin da bambino. Dai tempi in cui mia madre mi portava ai baracconi di paese e io mi perdevo fra specchi e getti d'aria nel castello delle streghe".[18]

Ispirato da due mosaici romani, uno nel Kunsthistorisches Museum di Vienna e l'altro del Museo del Bardo di Tunisi, il labirinto in costruzione a Fontanellato, vicino Parma, dovrebbe essere pronto nel 2013.

Ricoprirà più di otto ettari, un quadrato di 300 metri per lato, tre chilometri di percorso totale, sotto gallerie vegetali alte cinque metri. Per realizzarlo stanno mettendo a dimora 60.000 piante di bambù, di 25 specie diverse, provenienti

dalla Liguria, dalla Cina e dalla famosa Bambouseraie francese di Anduze.[19]

L'uscita dal labirinto sbucherà in corrispondenza di una cappella a forma di piramide, "simbolo della Trinità cattolica ma
anche della massoneria, dei rivoluzionari, del laicismo, e in
generale del mistero. [...] Penso che in un'ora e mezza si riuscirà a trovare la strada, ma qualcuno potrebbe perdersi davvero" ha reso noto Franco Maria Ricci.[20]

Una grande utopia che si realizza, per un intellettuale appassionato e curioso che ha dedicato la propria esistenza a divul-
gare la bellezza. "Ho discusso di labirinti tutta la vita, con
Italo Calvino, con Roland Barthes, con Jorge Luis Borges. Lui
ne era ossessionato, li citava continuamente nei suoi racconti.
[...] Una volta, citando un racconto dell'*Aleph*, Borges mi
disse: 'Il tuo labirinto non sarà mai il più grande del mondo,
il più grande è il deserto'. Almeno potrò vantarmi di avere
realizzato il più grande in bambù."[21]

Franco Maria Ricci è un accanito collezionista d'arte e un bi-
bliofilo, e questo spazio, guidato da una fondazione, ospiterà
anche un museo per tutte le sue opere e un rifugio gastronomico dove si potranno assaggiare pregiati culatelli e parmi-
giani DOC.

Ci saranno panchine, prati, gelatai, suonatori di fisarmonica:
praticamente un Eden d'arte e cultura in terra emiliana. Allo
stesso tempo la fondazione si occuperà di diffondere la coltiva-

zione del bambù soprattutto nelle zone metropolitane più inquinate perché la pianta assorbe in maniera straordinaria l'anidride carbonica, tanto da essere consigliata dal protocollo di Kyoto come coadiuvante per purificare l'ambiente (di sicuro più efficace di un Arbre Magique).

In attesa che i bambù crescano (per fortuna lo fanno velocemente), e il nuovo labirinto sia pronto, proviamo a tenerci in allenamento ripassando quelli che già conosciamo. O meglio quelli che non riusciamo a dimenticare perché ci hanno traumatizzato per sempre, come il più spaventoso dedalo verde della storia del cinema immortalato in *Shining*, di Stanley Kubrick.[22] Jack Nicholson, protagonista del film nei panni di uno scrittore fortemente disturbato con tendenze omicide, rimane intrappolato dentro un labirinto che credeva di conoscere bene. Senza dubbio avrebbe sottoscritto questa affermazione di frate Guglielmo, perso nella biblioteca del *Nome della rosa*: "Come sarebbe bello il mondo se ci fosse una regola per girare i labirinti!".[23]

Nel finale di *Shining*, mentre tutti gli spettatori lo seguono col fiato sospeso, l'invasato Jack tenta di massacrare a colpi di accetta il figlioletto che, al culmine della suspense, riesce a fuggire dalla trappola verde con uno stratagemma degno di Teseo.

Nicholson, sconfitto, finisce congelato sotto un'implacabile tempesta di neve, senza dimenticarsi però di sfoggiare proprio all'ultimo l'inconfondibile ghigno che ci appare in sogno quando abbiamo mangiato pesante.

"Ossessivamente sogno un labirinto piccolo, pulito, al cui centro c'è un'anfora che ho quasi toccato con le mani, che ho visto con i miei occhi, ma le strade erano così contorte, così confuse, che una cosa mi apparve chiara: sarei morto prima di arrivarci."[24] (Jorge L. Borges)

# 9

# I CACCIATORI DI PIANTE

* * * * *

*"Quando osservo il destino dei botanici, mi chiedo se*
*sia sana o malata la loro devozione alle piante."*[1]

Linneo

*"Il più grande servizio che si possa rendere a un Paese*
*è aggiungere alla sua cultura una pianta utile."*[2]

Thomas Jefferson

Camelia: perché si chiama così?

Quando questo fiore non aveva ancora un nome ufficiale, veniva chiamato "rosa giapponese" perché fu portata dall'Oriente a metà del Settecento da intrepidi cacciatori di piante, dopo lunghi e rocamboleschi viaggi intorno al mondo.

Fiore talmente perfetto da sembrare finto, appena sbarcato in Europa riscosse immediatamente un successo folle. In Inghilterra tutti volevano indossare il nuovo status symbol all'occhiello della giacca o nel bel mezzo di una scollatura, e si pagavano cifre da capogiro per avere sempre corolle fresche a disposizione.

Il primo esemplare arrivò in Italia nel 1760 grazie all'amicizia dell'ammiraglio Nelson con l'ambasciatore inglese del regno di Napoli, e fu piantato nel giardino della reggia di Caserta tra lo stupore della corte. Se vogliamo dar retta ai pettegolezzi, questo regalo vegetale si deve al debole che il burbero Nelson nutriva nei confronti della bellissima e affascinante Lady Emma Hamilton, moglie dell'ambasciatore nonché sua amante, e fu il suggello romantico della loro relazione clandestina. Chi volesse approfondire questo triangolo amoroso dell'epoca borbonica troverà soddisfazione nell'accurato romanzo storico di Susan Sontag *L'amante del vulcano*.[3]

In Francia la camelia venne subito ospitata nel giardino del Château de Malmaison su richiesta di Giuseppina, moglie di Napoleone, che per un attimo trasgredì alla sua irrefrenabile passione per le rose.

Grazie alla sua longevità, questo fiore era considerato simbolo di vita immortale, amuleto di buon auspicio, e proprio per questo lo si trova ancora oggi nei giardini dei templi buddisti. Secondo una leggenda giapponese, un giorno il patriarca Ta-Mo si addormentò durante la sua meditazione, e per questa grave colpa si volle punire recidendosi le palpebre, così da scongiurare per sempre il pericolo di chiudere gli occhi. Le palpebre gettate sul terreno fecero nascere una nuova pianta: la camelia da tè, dalle cui foglie si ricava l'infuso che, com'è noto, contiene la caffeina che aiuta a restare svegli.

Questa camelia, detta anche *Camellia sinensis*, più comunemente nota come pianta del tè, meriterebbe un capitolo a
parte. La preziosa pianta fu al centro di lotte per l'esporta-
zione tra i produttori orientali e i mercanti inglesi. In realtà
la varietà da fiore della camelia arrivò da noi per una truffa:
si credeva di aver finalmente trafugato la pianta le cui foglie
essiccate servivano per la preziosa bevanda del tè, e invece i
giardinieri cinesi conservarono per loro l'originale e rifilaro-
no la *Camellia japonica* da fiore agli ingenui commercianti.
Non so alla fine chi ci abbia guadagnato di più, vista la straordinaria bellezza della nuova varietà. Ma la storia è curiosa
e ha offerto all'Occidente la possibilità di ripagare nel tempo
i tanti doni ricevuti dall'altra parte della Terra, salvando in
extremis alcune specie che si sarebbero certamente estinte.
La vicenda più incredibile, però, l'ha raccontata una mia
giardiniera di riferimento, Pia Pera, e riguarda una foresta di
splendide camelie nella vallata di Hin-Shin, nel Vietnam del
Sud, ai tempi della guerra. "Un contadino della zona, un certo signor Nguyen, informato dell'attacco imminente dei B-52
americani, era corso a mettere in salvo una manciata di semi
della sua amata camelia. Appena in tempo: un attimo dopo,
tutta la vallata era in fiamme. Un'intera foresta di camelie
incendiata col napalm." Proprio come il suo popolo stava re-
sistendo agli attacchi americani, così le piante non avrebbero
ceduto. Nguyen riuscì a far passare alla frontiera un sacchetto

di semi clandestino che arrivò intatto in Toscana, dove lo aspettava Guido Cattolica, collezionista di camelie e unico produttore italiano di tè nell'alta Lucchesia, che si incaricò di portare a termine la delicata missione. Con cura interrò dieci semi superstiti e, dopo il tempo dovuto, riuscì a ottenere le piantine. Solo una è sopravvissuta, l'hanno battezzata Bamby, "ed è diversa da qualsiasi camelia conosciuta per le foglie, particolarmente sottili, e il fiore di dimensioni miniatura a forma di anemone [...], con effetto di ricamo a nido d'ape, come in certi splendidi tessuti orientali".[4]

Prima che iniziasse la tropicalizzazione del nostro continente, che ci permette oggi di coltivare banani all'aperto anche d'inverno e sotto il tiro della bora triestina, insomma alla fine del Settecento, quando ancora gli inverni erano rigidi ed esistevano le mezze stagioni, si pensò di proteggere dai geli queste nuove piante ancora sconosciute. Nei giardini più di tendenza vennero costruite delle *Camellia Houses*, serre in muratura e vetro con infissi amovibili, simili, per farla breve, alle verande abusive della nostra era dei condoni. Allora, invece, eravamo nell'era dei lumi, degli enciclopedisti e delle rivoluzioni, e il nostro fiore perfetto – dopo la frenesia dei primi anni – cadde un po' in disgrazia, come capita spesso con le mode: c'era altro a cui pensare.

Ma il Romanticismo era alle porte e il revival della camelia era già pronto. Infatti la sua massima popolarità la raggiunse intorno al 1850, grazie all'intrepido esploratore e botanico Robert Fortune, che fece appunto fortuna con l'importazione sistematica delle piante dalla Cina. Oltre alla *Camellia japonica* portò una novità: la più precoce e profumata *Sasanqua*, che ha la virtù di fiorire prima di tutte, mentre il giardino è ancora stretto nella morsa dell'inverno. Dopo tante protezioni si scoprì che, nonostante la fragile bellezza, la camelia resisteva bene all'esterno e non faceva una piega anche sotto la neve: subito le famiglie più ambiziose la considerarono un'attrazione imperdibile e impiantarono viali e boschetti con tutti gli esemplari conosciuti.

Questo successo strepitoso fu consacrato per sempre dalla letteratura nel 1848 con l'uscita del romanzo *La signora delle camelie* di Dumas figlio,[5] da cui il nostro Giuseppe Verdi trasse la sua straziante *Traviata*.

Margherita Gautier, segretamente malata di tisi, tra tutti i fiori riusciva a sopportare accanto a sé soltanto la camelia, notoriamente inodore, perché gli altri la facevano tossire. La sfortunata *dame* ne indossava sempre un esemplare bianco candido sul décolleté, tranne che in alcuni giorni del mese. Purtroppo, la nostra eroina, inconsapevole di altri miracolosi rimedi femminili proposti dall'odierna pubblicità, "in quei giorni" non si sentiva "libera e bella", e allora sostituiva la consueta camelia bianca con una rosso fuoco: gesto discreto ma inequivocabile per far capire ai suoi spasimanti che non era aria di convivi amorosi.

Se la nostra cagionevole fanciulla avesse saputo che il suo fiore preferito aveva preso il nome da un missionario gesuita forse sarebbe arrossita nell'indossarlo.

Georg Joseph Kamel: così si chiamava il prete botanico a cui fu tributato l'onore di prestare il cognome al nuovo fiore. L'idea venne dall'enciclopedista e grande catalogatore di piante svedese Carl Nilsson Linnaeus, a noi noto come Linneo. Nel suo immenso lavoro *Genera plantarum* lo studioso catalogò milioni di piante, passando praticamente l'intera vita a spaccarsi il cervello per trovare un nome a tutta la vegetazione che man mano veniva scoperta sull'orbe terracqueo.

Quel giorno del 1737 il nostro studioso sarà stato particolarmente stanco: così, dopo aver trovato il nome all'*Achillea* e alla *Brugmansia*, si sbarazzò della "rosa giapponese" chiamandola *Camellia*, facendo un torto al povero esploratore che l'aveva realmente scoperta e che oggi è perduto nelle nebbie dell'anonimato, come il primo batterista dei Beatles. Pare infatti che il pur meritevole Kamel non abbia mai coltivato una camelia in vita sua, né tanto meno sia mai stato in Giappone: il nostro gesuita botanico frequentava con più assiduità le isole Filippine, dove rimase fino alla fine dei suoi giorni raccogliendo e collezionando erbe officinali e sperimentando portentosi rimedi vegetali. Tra le sue scoperte eccezionali spicca una pianta meno bella ma forse più utile, l'*Ignatia*, nome volgare ignazia amara, conosciuta anche come "pepeta",

"Jesuit's Bean", "Liu song kouo", "igasur", "fava indica", "fava febbrifuga" eccetera.

James Tyler Kent, uno dei padri della medicina omeopatica, nel suo autorevole *Repertorio della materia medica omeopatica,* del 1897, afferma che l'erba *Ignatia amara* è utile specialmente nella cura delle donne isteriche, in quanto allevia i disturbi che seguono a profonde inquietudini, delusioni amorose, angosce e tormenti.

Al di là dell'inevitabile maschilismo del signor Kent, sicuramente alla nostra *dame aux camélias* avrebbe giovato una bella dose di *Ignatia* in un'unica soluzione sublinguale piuttosto che tutte quelle camelie sparse per casa. Ma non si può rivoltare la storia, e i destinatari delle attenzioni del nostro Kamel furono invece i bambini, i poveri e tutti i derelitti delle isole Filippine che il gesuita curava e assisteva con i suoi infallibili rimedi in una specie di farmacia allestita per l'occasione, dove li accoglieva senza chiedere nulla in cambio. In tempi di caro-ticket e di Propaganda Fide per soli potenti ci sembra straordinario questo simpatico prete temerario che, partendo da Moravia, in Germania, si spinse impavido dall'altra parte del mondo per coltivare le sue passioni.

## HUZZAH FOR OTAHEITE

Ma Kamel era solo uno dei tanti coraggiosi botanici dell'epoca: non esistevano ancora né il canale di Suez né quello di

Panama, dunque questi avventurieri affrontavano viaggi infiniti e circumnavigavano interi continenti per raggiungere l'Oriente o le isole della Polinesia, dove caricavano le navi di nuovi esemplari sconosciuti.

Considerando che per arrivare in veliero da Le Havre a Manila tra bufere, pirati e ammutinamenti vari si potevano impiegare dai sei mesi ai sei anni, questi audaci botanici sono da considerarsi dei veri e propri eroi. Compassati professori abituati a osservare le muffe nei comodi laboratori dell'Università di Cambridge, con pausa tè delle cinque, mollavano tutto e si spingevano in mare aperto per seguire il loro desiderio di conoscenza. "Fatti non foste a viver come bruti ma per seguir virtute e canoscenza" spiegava Ulisse a Dante.[6] E noi aggiungiamo: e per scoprire anche nuovi fiori e nuovi alberi, come per esempio il leggendario albero del pane. Il suo frutto è grosso proprio come una pagnotta e, liberato dalla buccia verdognola, si poteva cuocere tranquillamente e tagliare più o meno come un vero pane. Nutriente ed economico, divenne ricercato come l'oro dai proprietari terrieri che avevano colonizzato i Caraibi e dovevano sfamare truppe di schiavi al loro servizio. E fu proprio a causa delle talee di questo prezioso albero, di cui era carico un vascello di nome *Bounty*, che nel 1789 avvenne il più famoso ammutinamento della storia della marina inglese.

Chi ha visto il film[7] con il più affascinante Marlon Brando che il cinema ricordi sa che il *Bounty* era in missione per conto della corona inglese e trasportava nella sua stiva i preziosi germogli dell'albero del pane, meticolosamente immagazzinati dai botanici nel corso della sosta sull'isola di Tahiti, durata più di tre mesi.

Ora, mentre i professori preparavano le talee per il lungo viaggio, i marinai familiarizzavano con la popolazione locale, in particolare quella femminile, che a parte qualche corolla di *Hibiscus* nei capelli indossava poco altro. Abituati all'Inghilterra vittoriana e a un regime di navigazione molto severo, diciamo che persero completamente la testa per i nuovi usi e costumi locali; un po' come succede oggi ai nostri connazionali quando si recano in vacanza, per esempio in Brasile durante il Carnevale di Rio. E così sulla strada del ritorno non riuscirono più a sopportare la rigida disciplina di bordo. Le condizioni erano durissime, le centinaia di talee di cui era stracarico il *Bounty* venivano annaffiate regolarmente a scapito dei poveri marinai, ciurma maledetta a cui toccava una goccia d'acqua al giorno e punizioni corporali a ogni lamento. La vita del marinaio, ai tempi del *Bounty,* era tosta davvero, specialmente se al comando c'era quella carogna del tenente di vascello William Bligh.

Il resto è storia. I marinai si ammutinarono, con a capo l'ufficiale Fletcher Christian, interpretato nel film da Marlon Brando (irresistibile in divisa). L'equipaggio mise alle strette l'implacabile Bligh e l'abbandonò con diciotto crumiri in mezzo all'oceano, su una scialuppa di soli sette metri per due, con-dannandoli tutti a morte sicura. Invertita la rotta al grido di "*Huzzah for Otaheite*", ovvero "Urrà per Tahiti", esclamazione più adatta a un cinepanettone che a una flotta di sua mae-stà, gli ammutinati riconquistarono con entusiasmo il paradiso perduto.

Ancora oggi, nell'isoletta di Pitcairn, al largo di Tahiti, vivono i discendenti del *Bounty*, di quei pochi sopravvissuti alle lotte interne e fratricide che hanno sterminato quasi tutto l'equi-paggio. La nave fu bruciata con tutte le piante a bordo, per la disperazione dei botanici che, però, si consolarono presto tra le braccia delle nuove compagne. Invece il capitano Bligh, contro ogni logica e possibilità umana, riuscì a sopravvivere e a tornare in Inghilterra, dove denunciò l'ammutinamento all'alta corte inglese. La corona lo inviò con una spedizione punitiva a riprendersi i ribelli per poi farli impiccare in pa-tria. E così fece, almeno con quelli che riuscì a trovare. Non Fletcher, che nel frattempo si era rifugiato in un'isoletta con la sua polinesiana; cosa che fece anche Brando nella sua vera vita fuori dal set.

Neanche cinquant'anni dopo, su una nave più moderna, un giovane appassionato di piante e specie animali intraprese un viaggio che cambiò il corso della sua esistenza, nonché quello della scienza. Charles Darwin voleva farsi prete, ma prima di dedicare la sua vita a Dio, nel 1831, pensò bene d'imbarcarsi sul brigantino della regia marina militare inglese, il *Beagle*, per un semplice viaggio di conoscenza. In realtà fece un giro del mondo che durò cinque anni e lo portò a elaborare la teoria che lo rese famoso e che ancora oggi urta i creazionisti di mezzo mondo.

Tra le terre visitate, furono le isole Galápagos a colpirlo particolarmente. Il suo celebre trattato *L'origine delle specie* contiene numerosissimi riferimenti a queste isole che, grazie alla varietà di climi e di habitat dovuti alle correnti marine, hanno sviluppato numerose specie endemiche.

Il giovane Darwin probabilmente non pensava che avrebbe scatenato tante polemiche mentre raccoglieva serafico piante, semi e fossili durante le sue passeggiate naturaliste. Né immaginava che sarebbe stato prima esaltato e poi abiurato e addirittura censurato nei programmi scolastici dei licei più osservanti. Chissà, forse al pensiero si sarebbe fatto prete senza indugi!

Nel 1959, in concomitanza con il centenario della pubblicazione della sua – scusate il gioco di parole – bibbia scientifica *L'origine delle specie*,[8] il governo ecuadoriano dichiarò parco nazionale il 97,5 per cento dell'area emersa delle Galápagos. E nel 1978 l'intero arcipelago fu proclamato Patrimonio dell'umanità dall'UNESCO.

Grazie alla Charles Darwin Foundation, che si occupa della conservazione delle Galápagos, la natura delle isole è rimasta intatta proprio come l'aveva descritta la penna dello scrittore.

A esser precisi questa meraviglia "era" arrivata intatta fino a noi; negli ultimi anni, a causa di un eccessivo afflusso turistico e di un via vai di navi che scaricano rifiuti e carburanti alla chetichella, stiamo rischiando di rovinare anche questo angolo di mondo, campione di biodiversità e bellezza. Il governo ecuadoriano sta cercando di correre ai ripari aumentando le tasse di soggiorno per frenare l'orda dei vacanzieri ma non tutti sono d'accordo. Per i distratti come noi, il WWF e altre associazioni ambientaliste, insieme alla Darwin Foundation, continuano a osservare, controllare e denunciare gli abusi. Per fortuna, mentre stiamo dormendo c'è sempre qualcuno che mette al riparo un uovo di tartaruga gigante o pulisce le ali dal catrame a un cormorano che non riesce più a volare. Continuiamo pure a sonnecchiare, ma almeno liberiamoci dai sensi di colpa con una bella donazione.

I "guerrieri ecologici" sorvegliano il nostro pianeta come possono, anche se a volte ci sembrano dei sognatori che lottano come Don Chisciotte contro i mulini a vento; in realtà danno più fastidio di quel che si pensi. Come gli attivisti di Greenpeace quando denunciarono gli esperimenti atomici sull'atollo polinesiano di Mururoa, bersagliato per trent'anni dal governo francese con test nucleari che al confronto le atomiche di Hiroshima e Nagasaki diventano delle bombe carta. Dal 1996 la Francia si è fermata, ha finalmente deciso di riconoscere le conseguenze devastanti di quelle pratiche e rimborsare le vittime delle radiazioni. Quando vediamo le fotografie di quelle fantastiche coste lambite dal mare turchese ci chiediamo come sia possibile che la stupidità umana arrivi a tanto. Eppure non c'è paradiso terrestre che possa ritenersi al sicuro.

## IL BUON SELVAGGIO
## E IL CAPITANO BOUGANVILLE

> "Ma allora, si deve civilizzare l'uomo, oppure abbandonarlo al suo istinto? Se si deve rispondere francamente, dirò che dovete civilizzarlo, se avete intenzione di diventarne il tiranno."[9]
>
> *Denis Diderot*

Tra tutti i luoghi più mitizzati della Terra, la Polinesia è sempre stata la meta più ambita e favoleggiata da tutti i viaggiatori. Tahiti e le isole che la circondano erano considerate un luogo mitologico molto prima dell'ammutinamento del *Bounty*. Le spiaggie bianche, i fiori carnosi e la vita primitiva e naïf dei suoi abitanti avevano da tempo attratto gli intellettuali europei che cercavano un esempio tangibile che confermasse le teorie filosofiche del buon selvaggio e del ritorno alla natura, molto in voga nella seconda metà del Settecento. Mentre Jean-Jacques Rousseau furoreggiava con i suoi scritti contro la corruzione del progresso, il capitano Louis De Bouganville s'imbarcò per un giro del mondo con tanto di botanico a bordo, una missione per conto della corona francese che, tra le altre tappe, toccò la Polinesia e i suoi paradisi. Questo viaggio influenzò la cultura occidentale più di qualsiasi altra avventura, perché il capitano, al ritorno in patria, diede alle stampe un libriccino tratto dal suo diario di bordo che infiammò la fantasia di grandi pensatori. Addirittura Denis Diderot, sull'onda di quel successo, scrisse il *Supplément au voyage de Bouganville*, una sua personale rilettura in cui, approfittando delle esperienze di Bouganville, esalta lo stile di vita libero e *sauvage* delle popolazioni isolane: uomini e donne che convivono in armonia e libertà, non ancora corrotti dalla civiltà e dalle varie costrizioni morali e religiose che, secondo il pensatore, avevano imbrigliato per sempre la felicità dell'*Homo sapiens* moderno. Il capitano Bouganville, a cui deve questo nome il meraviglioso rampicante originario della Polinesia (e che, come questa pianta, doveva essere solare e generoso), non si limitò ai racconti ma riportò in Francia un "buon selvaggio" in carne e ossa: il tahitiano Aotourou, che fece scalpore nei salotti parigini, dove divenne un must averlo a cena e mostrarlo agli amici. Ma le stranezze di questa traversata non finiscono qui. Il naturalista di bordo, il rinomato professor Philibert de Commerson, aveva portato con sé un giovane "stagista" per aiutarlo a raccogliere, conservare e catalogare semi e talee che ogni giorno arricchivano la spedizione. Un giovane timido e schivo, che parlava raramente e non si mischiava con il resto della ciurma, ma non per questo si tirava indietro davanti ai doveri di ogni marinaio. Durante il soggiorno in Polinesia una mossa falsa, forse un bagno solitario al fiume, tradì la messinscena e il capitano scoprì che l'assistente era in realtà Jeanne Barret, la giovane amante del professore che, per trasgredire alla legge reale che proibiva alle donne di imbarcarsi sulla flotta di sua maestà, si era travestita da uomo. "Sapeva, salendo a bordo, che si trattava di fare il giro del mondo, e tale viaggio aveva suscitato la sua curiosità. Lei sarà la prima donna ad averlo compiuto, e io le devo il giusto riconoscimento che a bordo si è comportata con la più scrupolosa saggezza".[10] Il democratico Bouganville decise di non prendere alcun provvedimento contro Jeanne Barret che, per spirito d'avventura e per seguire le sue passioni botaniche, aveva rischiato la prigione e l'esilio. L'importante era non fare clamore per evitare che l'esempio di Jeanne potesse contagiare altre signorine desiderose di emozioni forti. Ma per fortuna l'equipaggio in trasferta era parecchio distratto dalle bellezze locali, che venivano offerte come cocktail di benvenuto dai capo tribù, proprio come anni dopo successe ai marinai del *Bounty*, o almeno così racconta nel suo diario il capitano Bouganville: "Ci spingevano a scegliere una donna, a seguirla a terra, e con gesti non ambigui ci mostravano in che modo far conoscenza. Com'è possibile, mi chiedo, tener legati al lavoro, di fronte a

un simile spettacolo, quattrocento francesi, quattrocento giovani marinai che da sei mesi non vedevano una donna?".[11] La
leggenda narra che la storia d'amore tra il professore e la giovane
"stagista" si coronò in un matrimonio alle isole Mauritius, dove
la coppia rimase a vivere e a studiare la flora locale. Lo sposo
botanico, come prezioso regalo di nozze, dedicò alla sua Jeanne
una pianta nota come *Turrea heterophylla*, da allora chiamata
per sempre *Baretia*. Avremmo sperato in qualcosa di meglio per
questa eroina che aveva sfidato pregiudizi e marosi ma, si sa, la
storia con le donne è stata spesso ingrata.

## TECNICHE DI SEDUZIONE VERDI

Nella categoria "prodigi della natura" studiati da Darwin non
possiamo dimenticare l'impollinazione e tutte le tecniche di
seduzione che le piante mettono in atto per assicurarsi una di-
scendenza. Le combinazioni sessuali del mondo vegetale sono
infinite e avevano già destato l'attenzione del botanico Linneo,
che, nel 1730, non contento di affibbiare nomi all'intera flora
conosciuta, si mise in testa di catalogarla con un'intuizione
azzardata: la suddivise secondo gli organi riproduttivi! Dopo
aver scoperto che i bambini non nascono sotto i cavoli, il passo
successivo che finalmente ci ha svelato come realmente fun-
zionano le cose è stata la famosa metafora dell'ape e del fiorel-
lino, storiella edificante che ha salvato generazioni di genitori

dall'imbarazzo di una spiegazione più concreta ma, ahimè, ha lasciato molte zone oscure. Solo ora capisco perché. La vita sessuale delle piante non è così semplice e innocente come ci hanno fatto credere, ma prevede svariate combinazioni e giochini di gruppo: chi possiede due pistilli e chi tre, chi è ermafrodito e si organizza autonomamente, chi ha bisogno di più impollinatori esterni, come ci spiega dettagliatamente Linneo nel suo *Preludia Sponsaliorum Plantarum*, una specie di *Kamasutra* delle piante che costò al povero studioso una denuncia per immoralità dal governo svedese e la condanna della Chiesa luterana per "sospetto di libertinismo". Rileggendolo oggi si capisce che le autorità religiose non avevano poi tutti i torti: le varie possibilità di "famiglia aperta delle piante" illustrate dal botanico potrebbero ancora adesso far urlare alla scomunica. Linneo si serve di un'aperta analogia con gli esseri umani e, nel suo trattato, ci spiega che le piante possono scegliere tra un accoppiamento con "tre uomini nello stesso matrimonio" oppure "mariti, mogli e non maritati che coabitano in stanze nuziali separate", e non vado oltre...

A riscattarlo, circa cent'anni dopo, fu Charles Darwin che, dopo aver viaggiato in lungo e in largo, si quietò nella sua casa di campagna e approfondì gli studi del botanico "libertino", facendo esperimenti in serre riscaldate dove coltivava le piante nate dai semi raccolti in giro per il mondo. Studiava queste meraviglie insieme ai figli Francis e William, due dei suoi dieci discendenti (evidentemente la lezione di educazione sessuale era servita anche al padre dell'evoluzionismo).

I Darwin erano una sorta di Piero e Alberto Angela dell'epoca, grandi comunicatori che al posto del programma TV *Quark* si avvalevano dei disegni di William, esperto pittore botanico. La loro passione erano le orchidee e le farfalle, una combinazione micidiale. Insieme ne fanno di tutti i colori per raggiungere il solito scopo: gli insetti posandosi sulle corolle riescono a immagazzinare il polline per la fecondazione grazie a una specie di lunga proboscide retrattile che srotolano per l'occasione, un arnese detto spiritromba, e solo il nome varrebbe un approfondimento. Petali colorati, corolle attraenti, profumi irresistibili sono solo alcuni degli stratagemmi perfezionati nei millenni dalla genialità della flora terrestre che, come ci spiega il famoso etologo Giorgio Celli nel suo libro *Le piante non sono angeli*, è molto meno sprovveduta di quello che abbiamo sempre creduto, anzi: "Le piante uscirono da quell'Eden di castità in cui teologi e filosofi le avevano relegate, per entrare nel mondo! Diventando delle possibili promotrici dei peccati della carne [...] quei fiori celebravano una vera e propria orgia d'amore!".[12]

Certo d'ora in poi stami e pistilli ci faranno un'altra impressione, un po' come quando si scopre che mamma e papà hanno fatto "quello" per farci venire al mondo, uno choc da scena primaria che deve aver colpito seriamente il poeta Aldo

Palazzeschi; senza dubbio questa sua composizione, riscoperta da Giorgio Celli, sarà stata scritta sull'onda del trauma.

FIORI

No! No! Non più! Basta.
Mio caro, e ci posso far qualcosa io,
se il giglio è pederasta
Se puttana è la rosa?
Lesbica è la vaniglia.
E il narciso, quello specchio di candore
si masturba quando è in petto alle signore.
Dio, abbi pietà dell'ultimo tuo figlio
Aprimi un nascondiglio
fuori dalla natura![13]

## CAMELIA – L'ESPERIENZA PERSONALE

Prima di tutto coltivare una camelia è molto più semplice di quel che si può pensare.

Se viene tenuta all'ombra e annaffiata regolarmente resiste al freddo inverno e sopporta la calura estiva. È una pianta sempreverde, ma di un bel verde davvero, con le foglie lucide e appuntite. Ha bisogno di terriccio acido e di conseguenza va nutrita con prodotti per acidofile. Secondo me è sempre meglio tenerla in vaso, anche in giardino; a parte che ne acquista in maestosità, anche il modo più pratico per gestire la qualità della terra e delle innaffiature. La camelia è una pianta centenaria che vi regala fiori simmetrici ed eleganti quando il giardino è ancora dormiente. Se ha superato marosi e tempeste… perché dovreste farla morire proprio voi? C'è qualcuno che dice che bisogna annaffiarla solo con acqua piovana, pura e priva di calcio; io non propendo tanto per questi estremismi giardinieri, credo più semplicemente che, se vedete le foglie ingiallire, dovete subito correre ai ripari nutrendola con del ferro, che trovate in ogni vivaio. A volte può accadere che un ramo si secchi completamente anche senza avvisarti prima; potrebbe essere un problema di funghi alle radici, almeno così mi ha detto Silvio Rossi, un giardiniere esperto e poetico che tutti vorrebbero avere come amico e che raramente si sbaglia. Per combattere questi parassiti ci sono in commercio dei prodotti che si mettono direttamente nella terra: per il resto, incrociate le dita. Nulla è certo nel giardinaggio e bisogna imparare a sopportare anche i crolli improvvisi e le morti misteriose. Io sto ancora piangendo un leccio decennale che, dopo stagioni di sfrenata verdeggiante vitalità, ha avuto una sincope; è stato inutile chiamare in soccorso un'équipe di fitopatologi esperti che, come un reparto di polizia scientifica, ha rovistato tra le radici in cerca di indizi sul possibile assassino. Non c'è squadra di investigatori dei RIS o di CSI Miami che ti possa aiutare in quei brutti momenti. Il miglior consiglio è partire da una buona pianta. Per le camelie un vivaio interessante nel Centro

*"Dio, abbi pietà dell'ultimo
tuo figlio. Aprimi un nascondiglio
fuori dalla natura!"*

Italia è sicuramente Le camelie del Generale, a Velletri.[14] Il proprietario è un vero amatore e possiede degli ibridi inconsueti. Osate nei colori e nelle striature. Tra l'altro l'azienda agricola confeziona dei sacchetti di terriccio composto seguendo una misteriosa ricetta che più di una volta ha salvato la vita ad alcuni miei esemplari ridotti al lumicino. Ma il paradiso terrestre per questa pianta è sicuramente nel cuore della Toscana, in Lucchesia, dove ogni anno si organizza un festivalone dedicato alla camelia, che lì ha trovato un terreno e un clima ideale. Tra le colline intorno a Lucca, le ville settecentesche possiedono ancora collezioni rare ed esemplari sopravvissuti a ogni turbolenza storica. Il vivaio Borrini a Sant'Andrea di Compito, gestito oggi dal guru delle camelie Guido Cattolica (quello dei semi vietnamiti), sfoggia un catalogo degno dei suoi antenati. Pare infatti che nell'Ottocento i fratelli Borrini unissero alla passione per le camelie gli ardori risorgimentali e, oltre a stampare clandestinamente volantini inneggianti all'Unità d'Italia, distribuissero ai rivoluzionari camelie di colori differenti per permettere a carbonari e massoni di riconoscersi dal fiore che portavano all'occhiello. Sarà per questo che in quegli anni vengono create nuove varietà dai nomi inequivocabili come "Roma risorta" o "XXII marzo", una camelia doppia a fiore rosso e macchie bianche di notevole bellezza, almeno così dice chi è riuscito a vederla. Non mi risultano, a oggi, camelie dedicate al nuovo federalismo, qualcuno mi segnala la "Borghezio", una spampanata giallognola, ma ho il sospetto che sia un impertinente; comunque, visto che l'esercizio della par condicio, una costrizione algebrica quando si parla di politica in questo Paese, si è allargata come un virus a qualsiasi argomento, giardini compresi, se qualcuno venisse a conoscenza di nuove varietà dedicate alla Padania e ai suoi eroi prego urgentemente di farmi pervenire informazioni. Nel frattempo, per rendere giustizia al Nord, cito con ammirazione anche il lago Maggiore, con le sue incantevoli distese di camelie a Verbania e dintorni: paesaggi incantati, costellati di ville storiche dai giardini lussureggianti grazie al microclima lacustre che invita gli innamorati al languore e le camelie a una salute scoppiettante. Nel periodo di fioritura si organizzano feste e raduni, veri e propri sabba delle camelie, dove è possibile acquistare esemplari rari che daranno soddisfazione a ogni vostro capriccio giardiniero.

Ma se proprio non avete nemmeno un angoletto d'ombra né una veranda riparata, allora forse è meglio rinunciare a una selezione di camelie vere; però potrete sempre rifarvi collezionando quelle ancor più ricercate della maison Chanel.

Mademoiselle Coco negli anni Cinquanta scelse questo fiore come simbolo della sua prestigiosa casa di moda. Oggi una camelia bianca in seta o in tweed firmata Chanel può costare esattamente quanto un bocciolo dell'epoca dei cacciatori di piante, con viaggio dal Giappone in nave e ammutinamento compresi. Ma almeno non rischierete ingiallimenti e morti improvvise, e l'eleganza sarà assicurata.

# 10

# MADAMINA,
# IL CATALOGO È QUESTO

\* \* \* \* \*

*"Madamina, il catalogo è questo*

*delle piante che avrà il balcon mio;*

*di talee ce n'è che ho fatt'io.*

*Osservate, leggete con me.*

*Di bel dalie seicento e quaranta,*

*di agapanta duecento e trentuna,*

*cento sol di bulbi in miscuglio,*

*e di rosa novantuna,*

*ma di peonie son già mille e tre!"*[1]

Le piante non bastano mai. La voracità del giardiniere è proverbiale. Si comincia sempre con dei buoni propositi: "Questa volta non mi lascio irretire da cespugli e bulbetti comprati qua e là, voglio un giardino sobrio, pulito, dove ogni esemplare abbia il suo spazio e possa crescere indisturbato".

Tornate a visitare il giardino in questione dopo un paio di stagioni e troverete una giungla a prova di machete: "Ma non pensavo che la Datura sviluppasse così tanto, sennò non avrei messo dei convolvoli argentei ai suoi piedi, che non vengono neanche tanto bene perché le piccole rose Grouse si sono allargate a dismisura; per fortuna che i nasturzi, che erano sotto, hanno trovato la loro strada strisciando fuori dell'aiola invadendo la cuccia del cane... Il fatto è che non so proprio dove mettere queste nuove iris che mi sono appena arrivate per posta dall'Olanda...".

Come con i libri, così con le piante, un senso di colpa atavico ci impedisce di gettarle quando ci hanno stufato. È molto difficile liberarsene a cuor leggero. Neppure i romanzi più brutti, di scrittori che non avete mai amato, neanche quelli si riescono a buttare nel cassonetto, anche se civilmente differenziato. Non parliamo poi degli amati virgulti. Se ancora ancora una raccolta di poesie di Sandro Bondi chiudendo gli occhi ce l'ho fatta, una volta, a spedirla al macero, con le piante non ci riesco. È più facile che recuperi dai bidoni esemplari decrepiti, condannati a morte da qualche giardiniere più coraggioso di me e li ricoveri nel solito angoletto-astanteria del mio giardino affollato; non certo perché sono una bella persona, ma perché sono una malata di mente come la maggior parte degli umani che si dedicano a questa attività.

Tutti camminiamo in "equilibrio sopra la follia". Io ho addirittura scelto un'automobile perché aveva un portabagagli così alto da permettere a un alberello di rimanere in piedi durante il trasporto. Inutile dire che sono richiestissima da tutti gli amici masochisti che vanno la domenica da Ikea. A ogni modo non sono pentita: riesco a caricare una tale quantità di piante in un viaggio solo che i traslochi Gondrand mi fanno un baffo.

A tutte le fiere e festival di fiori suscito l'invidia degli altri giardinieri perché, mentre loro sono costretti a fermarsi dopo una decina di lavande e due azalee, io continuo a comprare fino al tramonto. Posso infilare nella mia autovettura una quantità di *Clematis* rampicanti senza sciupare neanche una corolla; l'unica cosa che si rovina è il mio conto in banca, ma come sappiamo dai diamanti non nasce niente, e per fortuna dalle pietre non sono ossessionata come dal mondo vegetale.

L'avidità del giardiniere per qualsiasi genere di virgulto conosciuto risale alla notte dei tempi. Secondo me, dal primo giorno in cui l'uomo è apparso sulla Terra ha avvertito un'immediata fascinazione per il verde che lo circondava. Anche perché ha trovato già tutto bell'e pronto: piante fiorite e alberi maestosi vivevano indisturbati sul nostro pianeta molto tempo prima di noi.

Le più antiche abitanti certificate, antenate di ogni forma vegetale, sono le alghe marine che pare risalgano addirittura a 510 milioni di anni fa, milione più o milione meno. Insomma, quando l'uomo girava ancora a quattro zampe, le piante erano già vecchie ed erano state testimoni dell'avvicendarsi di varie ere e dell'estinzione di parecchi dinosauri.

## 1. LA CYCAS

In omaggio alla storia inizierei la nostra collezione con una *Cycas*, che va rispettata come un'autorevole antenata. Oggi vediamo questa antica scultura vegetale esposta in terrazze trendy o ancorata all'esterno di bar specializzati in happy hour, ma lei già prosperava beatamente ai tempi del Jurassic Park insieme al Tyrannosaurus rex. E da allora non si è più evoluta, è rimasta identica. Ha deciso che era già perfetta, bella dura e coriacea, con le sue millenarie spatole verdi che svettano verso il cielo. Anche milionarie, visto il prezzo, ma come può essere a buon mercato "un fossile vivente" che è stato testimone della comparsa dell'uomo sull'orbe terraqueo? Vuoi metterla a confronto con una petunia passeggera? Tra l'altro la *Cycas* è più longeva di una quercia, anche se non si nota perché cresce un metro ogni novantanove anni. Ah, se una *Cycas* potesse parlare! Avremmo risolto ogni disputa storica dal congresso di Vienna in poi. Altro che revisionismo…
E quindi della *Cycas* non si può fare a meno e la inseriamo nel nostro catalogo.

## 2. I BULBI

I bulbi poi li voglio tutti. Come si fa a rinunciare a questa generosa sinfonia di forme e colori che, come ci ha insegnato Emily Dickinson, appaiono e scompaiono a seconda delle stagioni?

I primi a mostrarsi, gli ultimi ad andarsene. Discreti e auto-sufficienti, finito il lavoro rimangono inabissati sottoterra. Il rischio è dimenticarseli lì sotto e farli a pezzi nel tentativo di piantare qualche nuova meraviglia in quel posticino vuoto del giardino, che stranamente non era ancora inzeppato.

I veri professionisti dopo la fioritura li estraggono con cura dal terreno per farli riposare al buio e all'asciutto in un lettino di torba leggera mista a sabbia, per poi rimetterli a dimora quando il calendario lo impone.

Io confesso che lascio tutto lì, un po' perché mi dimentico, un po' perché mi piace farmi sorprendere dalle fioriture quando meno me l'aspetto. La vera sorpresa è che a volte non spunta proprio niente, ma questo fa parte dei danni collaterali del giardiniere onnivoro. Una citazione a parte la merita il tulipano, semplice o arruffato, con i petali a pappagallo o virginale come una fanciullina, vi regalerà sempre grandi soddisfazioni. Le varietà dei suoi bulbi sono entusiasmanti e posso capire la febbre che provocarono a metà del Seicento quando in Olanda scoppiò una vera e propria mania: un'ossessione superiore a quella delle camelie o a qualunque altro fiore conosciuto.

Non solo erano ambìti dai ricchi e benestanti olandesi per farne sfoggio nei loro giardini, ma divennero un vero e proprio oggetto di speculazione, come ci racconta lo storico Mike Dash nel suo *Tulipomania*, che ne ripercorre la saga dai giardini dei sultani ottomani alla follia olandese.

Come sempre succede negli affari, più c'è richiesta più il valore aumenta. Infatti in pochi anni il prezzo dei bulbi salì così vertiginosamente da renderli più preziosi dell'oro e più ambìti dei diamanti. Soprattutto le specie rare e screziate come il *Semper Augustus*: un singolo bulbo di questo fiore, variegato tra il bianco e il rosso rubino, arrivò a costare fino a 6000 fiorini (circa 312.000 euro di oggi).

Il mercato dei tulipani avveniva un po' ovunque, perfino nelle case dei grandi mercanti. Il più famoso era Jacob van der Buerse; non a caso dal suo cognome nacque il termine Borsa che è diventato il luogo per eccellenza di ogni contrattazione moderna.

Tutti volevano investire in bulbi, la gente chiedeva prestiti e si vendeva le case pur di comprare queste patate bitorzolute da tenere in cassaforte come il più grande dei tesori da lasciare agli eredi.

Nel 1635 Chrispijn Munting, cronista della gazzetta di Haarlem, racconta: "Oggi un contadino ha acquistato un singolo bulbo del raro tulipano chiamato Viceré, pagando per esso: otto maiali, quattro buoi, dodici pecore, due carichi di grano, quattro carichi di segale, due botti di vino, quattro barili di birra, due barilotti di burro, mille libbre di formaggio, un letto completo di accessori, un calice d'argento e un vestito, per un valore totale di 2500 fiorini".[2] Tutto questo ben di Dio solo per un tubero!

## *"Sire, non sono io che sono lento, è la natura."*

La smania crebbe a tal punto che i prezzi s'impennarono in maniera parossistica. E si sa, il mercato non può aspettare il lento susseguirsi delle stagioni, così come spiegò il giardiniere di Versailles al re Sole che smaniava per le nuove fioriture: "Sire, non sono io che sono lento, è la natura"; da un seme di tulipano ci vogliono sette anni per creare un bulbo, da un bulbo a ogni stagione ne possono nascere al massimo due o tre più piccoli che fioriranno almeno dopo due anni: un'eternità per gli speculatori che cominciarono a investire sulle annate future. Scommettevano a lungo termine creando dei veri e propri *bond futures* dei bulbi, esattamente come avviene oggi a Piazza Affari.

Ormai l'oggetto del desiderio non compariva più sulle tavole delle trattative, tanto che lo chiamarono "il commercio del vento". E infatti una mattina tutti si svegliarono dal sogno e rimasero con un pugno di mosche in mano, o meglio con qualche patata del valore di pochi fiorini. Le bolle si allargano fino a che non scoppiano. Lehman Brothers vi ricorda qualcosa?

Gli esperti, oggi, considerano quella dei tulipani, la prima bolla speculativa dell'era del capitalismo: bulbi o case o azioni che in poche ore valgono un decimo di quanto erano stati pagati, grazie al gioco d'azzardo dei soliti affaristi senza scrupoli.

225

John Kenneth Galbraith, uno dei più grandi economisti del Novecento, ha usato la tulipano-mania per spiegare le elementari ed eterne regole della speculazione che se ne infischiano delle esperienze negative, insegnandoci che non esistono campi dell'attività umana in cui la storia conta così poco come nel mondo della finanza. Si ripercorrono gli stessi errori, finché qualche povero risparmiatore ci casca c'è sempre qualcuno alle sue spalle che si arricchisce.

Se questi grandi scienziati di Wall Street avessero ripassato la grande crisi dei bulbi, probabilmente si sarebbero fermati in tempo con i mutui subprime. Ma nessuno vuole mai rimanere con il cerino in mano, e il gioco economico va avanti finché non brucia tutto.

Per fortuna c'è sempre un Dumas pronto a trasformare ogni disgrazia in un romanzo di successo. Questa volta si tratta di Dumas padre che, ispirandosi a questa mania, scrisse *Il tulipano nero*,[3] la varietà più rara che ogni ibridatore ha sempre sognato di creare.

Lo scrittore ci racconta un intrigo a lieto fine: il protagonista è un coltivatore di tulipani che ha dedicato la sua vita alla ricerca della formula segreta per ottenere un fiore nero come il carbone. Al di là del romanzo, questa fissazione per il total black nel campo delle fioriture è un'ossessione per tanti creatori di fiori. Sul tulipano, una leggenda narra che un vivaista olandese era riuscito finalmente a ottenere un fiore color inchiostro. Il bulbo fu battuto all'asta a una cifra impressionante, e quando arrivò finalmente nelle mani del nuovo proprietario, davanti a un pubblico esterrefatto, il misterioso compratore lo fece in mille pezzi. Era un vivaista concorrente che aveva trovato a sua volta la formula per il tulipano nero e voleva essere il solo a metterlo sul mercato!

In realtà, questa chimera del nero assoluto è tuttora inseguita dai mercanti di fiori. Il tulipano più scuro in commercio dovrebbe essere il Paul Scherer, ma qualcuno dice il Queen of night.

Ormai ne esistono di tutte le sfumature e costano pochi euro. Visto che siamo così fortunati da poterci permettere queste meraviglie a cifre ragionevoli senza essere costretti ad aprire un mutuo per una fioritura, dobbiamo approfittarne. Quindi, bulbi in quantità nel nostro catalogo dei desideri.


## 3. LA THUNBERGIA GRANDIFLORA

È arrivato il momento di inserire una sbalorditiva rampicante: la *Thunbergia grandiflora*.

Sono stata illuminata dalla sua bellezza sulla via della Mortella, uno dei più bei giardini mediterranei che vegeta sotto il sole di Ischia. Prima dell'avvento dei signori Walton la proprietà era brulla e arsa, senza una goccia d'acqua. Ma il posto era così magico che la coppia se ne innamorò immediatamente.

Sir Walton, compositore inglese di chiara fama, girava il mondo portando la sua musica in luoghi e continenti sempre diversi. Una volta in Argentina incontrò la giovane e affascinante Susana Valeria Rosa Maria Gil Passo e, come nelle favole, i due s'innamorarono all'istante tra lo stupore di amici e parenti.

In realtà, i genitori di Susana più che stupiti erano parecchio contrariati, visto che la bella e indipendente sudamericana aveva appena compiuto ventidue anni e Sir Walton – anche se ben portati – ne aveva già quarantasette. I genitori di Susana sarebbero rimasti ancor più di stucco se allora avessero detto loro che quell'unione di "amorosi sensi" sarebbe durata oltre trentacinque anni pieni di musica, creatività, amici e un parco incantato che la coppia costruì metro dopo metro con una passione per la *verdure* che è rimasta nella storia.

Non sapevo nulla di tutto ciò quando, passeggiando per il giardino, mi sono imbattuta nella famosa *Thunbergia*, una cascata di foglie lanceolate tra cui sbocciavano delle cornucopie di tromboncini blu oltremare. Una visione.

La Mortella è famosa per ben altre collezioni, piante rare ed esotiche che il compositore riportava dalle sue tournée e consegnava nelle mani di Susana che seminava, acclimatava e faceva crescere rigogliosamente.

Nel cuore del giardino c'è addirittura una magnifica serra che racchiude una ninfea Victoria, quella con le foglie giganti che sembrano un vassoio da portata per venti. Il grande paesaggista Russell Page, una specie di vescovo del giardinaggio, amico di famiglia dei Walton, elargì consigli e bozzetti per l'avviamento del progetto; ma lui stesso dovette ammettere, in visite successive, che la mano di Susana aveva superato il maestro. La signora Walton è riuscita a creare uno dei più importanti giardini di acclimatazione italiani, forse uno degli ultimi della nostra penisola. Imperdibile la sua collezione di cycadacee, di zamie e lepidozamie.

Ma nonostante tutto quel paradiso terrestre intorno a me, sono rimasta fulminata dalla visione di una semplice *Thunbergia*, dalla sua bellezza quasi oltraggiosa e carnale, e... non ho resistito.

Ho colpito ancora. Ma questa volta ho chiesto il permesso alla giovane giardiniera di turno. Una piccola talea dalla Mortella, un regalo insperato, che ho coltivato con l'adeguata devozione, e nel tempo mi ha ripagato con una cascata pari a quella originale. In verità non sapevo che la *Thunbergia*, se si trova a suo agio, si sviluppa in maniera mostruosa, lancia tentacoli verdi che si attaccano a tutto ciò che incontrano: palizzate, muretti, alberi, amici venuti in visita. Niente la può fermare se gradisce la location che le avete destinato.

A me ha sommerso un arancio amaro, un muretto, una bicicletta e sta attaccando la siepe del vicino. È sfacciata e generosa, per questo va aggiunta al catalogo. Ma prima di farla entrare dentro casa fatevi un'assicurazione per danni contro terzi, non si sa mai.

Purtroppo oggi Lady Walton ci ha lasciato, tutti conoscevano la vulcanica ed eccentrica signora che si vestiva come una delle sue meravigliose aiuole ed era una habitué di tutte le fiere e rassegne di fiori. Ci mancherà parecchio la sua passione e la sua competenza. Ora non possiamo che augurarci che la fondazione da lei creata porti avanti con forza tutti i suoi sogni, che non prevedevano solo la conservazione e l'arricchimento del suo giardino, ma anche la possibilità di far crescere giovani talenti musicali che lei sosteneva con generosità offrendogli la chance di invadere il mondo con la loro musica. Proprio come fa la *Thunbergia grandiflora* con i suoi tentacoli.

Allora... *Thunbergia*, avete segnato? Se non avete l'occasione di incontrarla sulla vostra strada la potete acquistare, in loco o via internet, in un vivaio dove non mancano mai piante insolite e rare: la Casina di Lorenzo,[4] gestita da Davide Picchi, un cacciatore di piante moderno che raccoglie semi e talee e poi li riproduce nel suo laboratorio-giardino, affascinante e caotico come il gabinetto di un alchimista. Se lo andate a trovare vi perderete nelle serre felicemente disordinate dove le piante a volte si ibridano a sua insaputa, creando nuovi esemplari sconosciuti, ancora più belli degli originali. Davide è un entusiasta, conosce vita, morte e miracoli di ogni sua creatura; con lui la conversazione è una sorpresa continua, vi rimette di buon umore più che un bicchiere di vino toscano, non a caso al suo meraviglioso banco durante le fiere c'è sempre la fila. Andateci presto che i meglio pezzi vanno a ruba…

## 4. L'HIBISCUS

Ma procediamo con il nostro catalogo.

Passiflora ce l'ho, ortensie a carrettate, hosta ce l'ho, *Hibiscus* mi manca!

Ma che vogliamo lasciare fuori l'*Hibiscus*? Sarebbe un errore madornale, perché è il simbolo più immediato della vacanza e dell'evasione. Una pianta fiorita sul vostro balconcino vi trasporta immediatamente nelle isole del Pacifico tra le acque cristalline di un dépliant turistico, cocktail di benvenuto compreso.

Sono i viaggi migliori quelli che si fanno comodamente seduti sulla propria poltrona di casa: si possono immaginare terre lontane e mille possibilità di fuga senza noiose file ai check-in o il trauma da perdita di bagaglio: eventi che lasciano il segno e rovinano costose vacanze più del consueto imbarazzo di stomaco annidato nel folkloristico pranzo a buffet. Ho visto miei coetanei, persone adulte e ragionevoli, salutare la propria Samsonite inutilmente incellophanata come fosse un parente che parte in cerca di fortuna verso l'ignoto. Prima di lasciarla inghiottire dal tapis roulant, osservano con trasporto piccoli dettagli e care screpolature, certi di non rivederla mai più. Questo Emilio Salgari lo sapeva benissimo, non a caso narrava delle giungle di Sumatra e dei tigrotti di Mompracem, senza mai muoversi dal tinello di casa. A lui dobbiamo le più belle e particolareggiate descrizioni della vegetazione tropicale: i suoi romanzi d'avventura sembrano istantanee di questi luoghi lontani ed esotici dove però lui non aveva mai messo piede.

## AMORPHOPHALLUS (FUORI CATALOGO)

Forse non tutti sanno che il mistero dell'accuratezza di Salgari non risiede solo nella fantasia del prolifico scrittore, ma anche nella sua fonte prediletta. Ovvero i testi e i dettagliati disegni di Odoardo Beccari, illustre esploratore, botanico e naturalista che invece viaggiò in lungo e in largo tra Borneo, Africa e Nuova Guinea. Di carattere scontroso e solitario, Beccari preferiva alle compagnie accademiche la giungla tropicale, che studiava con passione vivendo spesso come il Barone Rampante in una capanna sospesa tra i rami degli alberi dove si dedicava alla sua camera oscura sperimentale e alle sue talee.

Il suo grande amore furono le palme; ne catalogò ben 130 specie in un'esauriente pubblicazione tradotta in varie lingue. Ma il vero colpo l'esploratore botanico lo fece durante il suo terzo viaggio in Estremo Oriente nelle foreste di Sumatra quando, stanco per una lunga marcia, si appoggiò a quello che credeva un tronco d'albero. In realtà si trattava di uno stupefacente esemplare di *Amorphophallus titanum* (inutile dirvi perché si chiama così!).

Beccari, senza saperlo, aveva appena scoperto l'infiorescenza più grande del mondo: un fiore-mostro che può raggiungere i tre metri di altezza. Ne spedì alcune piantine al Kew Gardens di Londra con cui aveva collaborato da studente e lì, tra lo stupore dei botanici inglesi, avvenne la prima fioritura in serra di questa incredibile pianta.

L'*Amorphophallus titanum* più che dalla giungla sembra uscita dalla *Piccola bottega degli orrori*,[5] l'esilarante film di Frank Oz con Rick Moranis che interpreta il povero fioraio che si ritrova in negozio un impressionante esemplare vegetale che cresce a dismisura quando è nutrito con il sangue umano.

L'assonanza con *Amorphophallus* mi nasce spontanea anche per l'odore nauseabondo di questa infiorescenza che, a detta degli esperti, è a metà fra lo sterco e la materia organica in putrefazione; sarà questa la ragione per cui l'*Amorphophallus titanum* è chiamata simpaticamente anche "fiore cadavere".

Se vi interessa un incontro ravvicinato con questa pianta ne trovate un esemplare nato da un seme di Beccari nel Giardino dei Semplici a Firenze. Oppure, se morite dalla voglia di vederlo subito, potete collegarvi con l'orto botanico di Brooklyn, che ha una webcam su un *Amorphophallus titanum* per documentarne la crescita e l'eventuale fioritura che, seppure abnorme, dura solo tre giorni.

Io vi sconsiglio vivamente di inserirla nel nostro catalogo, a meno che non vogliate essere svegliati in piena notte dal macabro ritornello della commedia: *"Feed me, feed me"*.

## 5. LA PEONIA

E arriviamo alle principesse... "Di peonie mille e tre". Un'ambizione che solo un collezionista imperterrito e impunito come Don Giovanni potrebbe nutrire.

Vi suggerisco di cominciare piano piano con un paio di esemplari, e poi procedere quando avrete preso la mano.

Perché con la peonia non si scherza. La sua bellezza di tenera farfalla nasconde una pianta esigente e caratteriale che va assecondata nei suoi desideri. Troppo sole e troppa acqua potrebbero essere deleteri. Poco sole e poca acqua pure.

Almeno così credevo prima di ammirare stupita gli immensi campi di peonie del Centro Botanico Moutan vicino Viterbo, nella campagna laziale.[6] Un'infinità di piante dalle mille sfumature vivono felici in piena terra, sotto un sole cocente, come il grano al vento. Apparizioni che sono colpi al cuore per il giardiniere insoddisfatto, specialmente se le paragona allo zeppetto recalcitrante che dimora sdegnoso sul suo terrazzo di città. Perfette e sane, a volte addirittura rifiorenti, sembrano nate lì tra Vitorchiano e Bagnaia. E invece arrivano dagli altopiani cinesi, dove sono conosciute fin dal 1000 a.C. e sono da sempre considerate un fiore prezioso, protetto dal favore imperiale.

Il Centro Botanico Moutan possiede una delle raccolte più vaste al mondo di peonie cinesi; i proprietari sono degli appassionati collezionisti che hanno deciso di condividere questo entusiasmo aprendo al pubblico i loro campi incantati. Andateci possibilmente a primavera, quando le piante fanno a gara per mostrare le incredibili fioriture. Ci sono degli esemplari pluriennali dai nomi poetici come "Collana di perle", "Trono di corallo", "Rossi bagliori del sole"...

Il colpo al cuore per me è stato duplice, perché alla prima visita ho scoperto che il vivaio è in un luogo a me molto caro. La distesa di peonie, per uno strano caso del destino, si trova proprio nell'ex casa di campagna dei miei nonni, luogo di villeggiatura di tutta la mia infanzia. Nessuno della nostra famiglia era più voluto tornare dopo la vendita.

Mio padre e le zie avevano deciso di disfarsi della proprietà o più realisticamente sono stati costretti a venderla. Ma la nostra filosofia casalinga è sempre stata quella di non piangersi addosso più di tanto; e così, allegramente, insieme alla casa di campagna, i miei hanno dilapidato un intero patrimonio. Nessuno, però, potrà mai dire che non si siano divertiti. Così da un giorno all'altro la Cerretana, così si chiamava la proprietà, è sparita sotto i nostri occhi e si sono aperti altri capitoli della nostra vita. In realtà noi ragazzi siamo rimasti spaesati ma senza il coraggio di ammetterlo, soprattutto per non ferire l'orgoglio di nostro padre già messo a dura prova da svariate traversie. E così abbiamo fatto finta di niente. Ma ripensandoci oggi, credo che ognuno di noi, a suo modo, abbia tentato di riportare in vita quella casa con la sua atmosfera unica.

Io sicuramente cerco di ricostruire in eterno il giardino dove mia nonna aveva fioriture per ogni stagione: dalle rose precoci alle dalie settembrine che ci accompagnavano poco prima di tornare in città per l'inizio della scuola.

C'erano siepi profumate di rosmarino tagliate a squadro e ortensie sfumate di blu, ma oltre il giardino c'erano campi di granturco che da piccola mi sembravano infiniti; e dove ora ci sono gli uffici del centro botanico c'era la mia meta preferita: la stalla con i vitelli piccoli.

Oggi è tutto ricoperto di peonie, e il colpo d'occhio non è niente male. Sarà per questo che le peonie per me sono un capitolo delicato: da una parte mi riconciliano con l'infanzia, dall'altra se non mi fioriscono entro in depressione e associo significati freudiani a ogni bocciolo andato a male.

Ognuno ha le madeleine che si merita. E tutto sommato mi è andata abbastanza bene: se al posto della casa avita invece di una collezione di peonie avessi trovato una centrale nucleare in costruzione sarebbe stato sicuramente più difficile superare il trauma.

# 11

## LE ROSE

* * * * *

*"Ogni rosa,*

*pregna di interno profumo,*

*narra i segreti del tutto."*[1]

*Jalal al-Din Rumi*

*"Mi piace vederti al mio tavolo, Nick. Mi ricordi una...*

*rosa, una rosa assoluta."*[2]

*Francis S. Fitzgerald,*
*Il grande Gatsby*

Ho provato. Ho resistito. Non volevo cadere nella retorica florovivaistica che tramanda la rosa come la regina dei fiori, simbolo di bellezza, amore, passione e quant'altro. Volevo essere snob, evitare secoli di storia e tonnellate di pagine di letteratura a lei dedicate e saltarla a piè pari. Ma è stato impossibile. Ho ceduto. Come si fa a ignorare questo miracolo della natura, la più sfrontata e sensuale delle piante, che sembra concepita proprio per farsi guardare? È impensabile.

La rosa in un giardino ti tenta, ti provoca, vuole attrarre a tutti i costi la tua attenzione; anche se non vuoi considerarla e ti tappi il naso per non avvertirne il profumo o chiudi gli occhi per resistere alle sue attrattive, lei ti catturerà con le sue spine costringendoti a darle retta.

È fatta così la rosa, ha una vera e propria "necessità" di colpirti nei sensi, deve farsi notare a tutti i costi perché la sua bellezza è sublime ma effimera, dura quel famoso *"espace d'un matin"* che il poeta, nonché giardiniere, François de Malherbe ha chiosato per sempre nei suoi versi, tanto popolari da ritrovarsi nei cioccolatini di tutto il mondo.

La rosa è il simbolo senza veli della nostra caducità, incarnazione vegetale della bellezza e dell'orrore che il segreto della nostra esistenza nasconde – siamo condannati a una vita provvisoria, o la cogli subito o sfiorisce per sempre.

Solo così si spiegano le raffinate arti seduttive che questo fiore sfodera a ogni occasione. Non c'è altra pianta in natura che possa vantare i suoi inganni: milioni di sfumature e profumi, rifiorenze e portamento a cui nessuno può resistere. Bisogna possederla senza se e senza ma. E infatti le rose si trovano ovunque: in un vecchio giardino abbandonato, su un balcone per bene o arrampicate sulla pergola arrugginita di un benzinaio.

Nessuno rinuncia ad averne almeno un esemplare, e lei non demorde, continua a mostrarsi sfacciata facendoci credere per un istante che esista l'eternità della bellezza. La visione di una rosa nel pieno della sua fioritura ci provoca uno strano struggimento, e forse questo fiore riesce finalmente a incarnare quel misterioso sentimento della *saudade* così ben descritto dal grande narratore Antonio Tabucchi. È una parola portoghese di non facile traduzione: non basta "nostalgia" per spiegarla, perché la *saudade* è anche una sorta di smania tenera e straziante che non si limita al ricordo del passato "ma si rivolge anche al futuro, perché esprime un desiderio".[3] Come quando la persona amata già vi manca mentre la state ancora abbracciando: "Ecco il gioco è fatto: state avendo nostalgia del momento che state vivendo in questo momento. È una nostalgia al futuro. Avete sperimentato di persona la *saudade*".[4]

Misteri delle emozioni umane che l'amore, la natura o il paesaggio possono risvegliare all'improvviso. Per chi volesse sperimentare simili sensazioni lo scrittore consiglia di recarsi a Lisbona e percorrere una stradina che non a caso si chiama rua da Saudade. Il risultato è assicurato e inoltre, chi ha amato *Sostiene Pereira*[5] riconoscerà in quel luogo l'indirizzo letterario dell'anziano giornalista. Per molte di queste ragioni la mia ossessione per le piante è nata con le rose e, nonostante mi sia appassionata nel tempo a ogni genere e tipo di flora terrestre, sono sempre loro le inseparabili, indispensabili amiche della mia vita giardiniera. Chi è entrato nel "tunnel" di questa debolezza può capirmi: cominci con una e vuoi averle tutte.

Si inizia sempre per caso, per emulare un amico; a volte la prima rosa te la regalano e neanche sai come si chiama. Ma dopo la fioritura primaverile, ti prende una frenesia e vorresti che tutto lo spazio intorno a te fosse riempito da questa visione, mal bianco compreso.

Potete essere sicuri di essere arrivati all'ultimo stadio quando vi ritroverete in preda all'ansia, una domenica mattina, davanti al cancello chiuso del vostro vivaio preferito a fissare, tra le siepi e le offerte, quel tenerissimo esemplare di *Rosa polyantha* che vorreste immediatamente stringere tra le vostre braccia e invece non potrete possedere prima dell'indomani.

## MADAME D'ALTRI TEMPI

Per i malati come me, rose-dipendenti accaniti, un passatempo particolamente eccitante è sfogliare il catalogo del collezionista inglese Peter Beales. A occhi meno attenti potrebbe apparire interessante quanto la lettura dell'elenco del telefono con l'aggiunta di qualche foto in più; e invece io ho passato con entusiasmo intere serate invernali a bearmi di nomi, varietà e caratteristiche delle piante che avrei potuto acquistare per posta. "Mme Hardy", "Mme Isaac Pereire", "Mme La Reine Victoria", "Mme Ernst de Calvat" e la "Belle de Crécy": una compagnia irresistibile di dame d'altri tempi che ti proiettano in mondi di assoluta eleganza, come le corolle della "Cuisse de nymphe émue" che tradotto letteralmente vuol dire "coscia di ninfa emozionata". Effettivamente un giro di parole un po' perverso ma definitivo per descrivere quell'incredibile color bianco carnacino che si sprigiona dai petali di questa rosa "alba" imperdibile. Agli ibridatori si perdona tutto, viste le meraviglie a cui sanno dare vita.

Il catalogo di Beales seleziona anche per tipo e colore. Si parte dal rosa "coscia di ninfa" per arrivare al rosso rubino della "Tuscany Superb", spesso e denso come un bicchiere di Montalcino DOC.

I creatori di nuove rose sono alchimisti d'altri tempi. Da sempre, sfidando la natura, rimescolano le carte e inventano altri esemplari. Non so come sia possibile ogni anno trovare ancora nuove varietà; è lo stesso mistero per cui i musicisti scoprono sempre melodie diverse dalle stesse sette note o i grandi profumieri non finiscono mai d'inventarsi nuove sfumature olfattive. E così ogni anno, nei concorsi in giro per il mondo, vengono presentate decine di rose inedite, sempre più rifiorenti e stupefacenti.

## UNA BAGATELLE

Uno dei premi più importanti per le nostre regine è sicuramente quello del Parc de Bagatelle a Parigi.[6] Una passeggiata in questi celebri giardini verso maggio è come percorrere a piedi il catalogo di Beales. Rose antiche o moderne, rampicanti o prostrate, vi aspettano in bella mostra con le targhette dei nomi e la data di nascita. Non c'è modo migliore per entrare nel mondo delle rose, anche perché il parco è una meta romantica e piacevolissima, con prati, laghetti, grotte segrete e un ristorantino nascosto tra gli alberi, dove dei pavoni fluorescenti vengono a beccare il pane direttamente dalle vostre mani. Un angolo di paradiso botanico in stile anglo-cinese, come andava di gran moda alla fine del Settecento, e infatti non manca vicino al laghetto di ninfee una regolare pagoda.

Non a caso la villa era frequentata dalla regina Maria Antonietta quando, dopo qualche festa parigina, si tratteneva a dormire nella capitale per evitarsi la noia di tornare nottetempo a Versailles; con l'ulteriore vantaggio di godersi un po' di privacy che la reggia con annessa corte di certo non offriva. La Bagatelle è detta anche "*la folie d'Artois*" poiché nasce da una scommessa tra la giovane regina e il cognato, il conte d'Artois, un libertino spendaccione, proprietario della tenuta. Si diceva che i due fossero amanti, all'insaputa di Luigi XVI, ma non voglio avallare queste voci scandalistiche, anche perché non restano intercettazioni telefoniche a testimoniarlo.

Maria Antonietta sfidò il bel conte a costruire la residenza de la Bagatelle in soli due mesi; voleva soggiornarvi al ritorno da un viaggio e così fu. Il conte spese cifre inaudite, mise all'opera novecento operai con turni che neanche un top-manager della Fiat nei suoi momenti peggiori potrebbe pretendere e, in soli sessantaquattro giorni e sessantaquattro notti, aprì le porte della nuova villa per il primo di una lunga serie di lussuosi ricevimenti, i classici festini senza tempo con dopocena osé e fuochi d'artificio. Sfarzi e sprechi che venivano ostentati sotto gli occhi del popolo parigino ormai ridotto allo stremo dalla povertà.

Sarà stato per tutelare l'immagine della moglie o per tenerla più sotto controllo che Luigi XVI le regalò allora il Petit Trianon, piccola (si fa per dire) dimora incantata in fondo al parco della reggia di Versailles con annesso villaggetto country, con tanto di pecorelle e aiuole fiorite per soddisfare le voglie bucoliche della sua signora.

A Maria Antonietta piaceva fare la contadinella, mungeva le caprette come Heidi, raccoglieva rose e insalatina dal suo piccolo orto. Avrebbe persino preso in mano una zappa pur di allontanarsi dall'atmosfera mefitica della corte dove, nonostante lo sfarzo, non si conduceva proprio una *vie en rose*, visto che l'ambiente pullulava di escort ante litteram e cicisbei pronti a tutto pur di ingraziarsi il favore dei reali: un po' come vivere imprigionati per sempre nel paginone centrale di una rivista di Alfonso Signorini.

Come è andata a finire poi lo sappiamo tutti: la Rivoluzione del 1789 ha spazzato via ogni cosa, giardini, teste reali e devote sanguisughe. Tutti meno il conte d'Artois che riuscì a fuggire con l'amante del momento per poi tornare in gran pompa a fare il re con il nome di Carlo X. Per la serie, attenzione, i peggiori ritornano sempre.

La povera Maria Antonietta, chiamata dal popolo "Madame deficit", forse non meritava quell'onda di fango e pettegolezzi che la ricoprì negli ultimi anni del regno. I tempi la inghiottirono, ma la storia si è un po' vendicata perché oggi è la regina più amata dai francesi, che la considerano come un fiore all'occhiello della storia patria, bella ed elegante come neanche Carla Bruni riuscirà mai ad apparire.

Di lei ci rimangono sfarzosi dipinti. Forse il più celebre, non a caso, è *Marie Antoinette à la rose*. L'autrice, Elisabeth Vigée-Le Brun, era la più richiesta ritrattista dell'alta società. Possedere un suo ritratto era uno status symbol, anche perché riusciva ad abbellire tutte le dame, un po' come fanno oggi i fotografi di moda con Photoshop che fa sparire qualunque ruga superflua. Ma per la regina non ce n'era certo bisogno, "l'incarnato splendente era la connotazione più straordinaria del suo viso. Non ne ho mai visto uno così luminoso, e dire luminoso è l'unico modo per descriverlo: la sua pelle era, infatti, così trasparente da non prender l'ombra. Non potevo quindi rendere i contrasti come avrei voluto: mi difettavano i colori per dipingere quella freschezza, quei toni così fini, tipici della sua deliziosa figura, che non ho mai trovato in nessun'altra donna" confessa la pittrice di corte.[7]

E tutto questo avveniva molto prima delle iniezioncine di vitamine e delle palline da ping-pong dentro gli zigomi che donano quello sgradevole effetto "criceto a bocca piena" che va tanto di moda. (Carlà, perché l'hai fatto??!!)

Oggi "Maria Antonietta" è anche il nome di una rosa che, a gomitate, si è ricavata uno spazio nel mio giardino, e non stiamo certo parlando della reggia di Versailles. Ma chiudendo gli occhi e aspirando profondamente il dolce profumo di miele emanato da questo fiore color "incarnato della regina", vi sembrerà per un attimo di entrare nel film di Sofia Coppola *Marie Antoinette*.[8] Non è detto che la cosa vi garbi: c'è chi non ha sopportato l'eccesso di sfumature pastello e di dolcetti glassati che invadono la pellicola; in tal caso escludete senza indugio questa varietà dal vostro elenco.

## UNA ROSA NON SI NEGA A NESSUNO

Aborro lo stile geometrico degli scalpellini d'oggi; forse sarà possibile acquistare una vecchia lapide, come successe a Vienna per la tomba di mio cugino. Si cancellino le iscrizioni precedenti e si faccia scolpire lo stemma, il nome e, un po' staccati, i versi:

> Rosa, contraddizione pura!
> Voglia
> d'essere il sonno di nessuno
> sotto sì tante
> palpebre.

Queste erano le istruzioni di Reiner Maria Rilke per la lapide della sua tomba. Una rosa non si nega a nessuno, figuriamoci a un morto.

Fasci di rose fresche ogni giorno per la regina Semiramide; olio di rose nelle tombe dei faraoni; rose incise sull'elmo di Achille alla conquista di Troia. Ancora rose, una bianca contro una rossa, sugli stemmi dei casati di York e Lancaster impegnati per anni nella feroce Guerra delle due rose che finì grazie a un matrimonio tra nemici. Un'unione di stato che rimise insieme le dinastie avversarie sotto un nuovo stemma: ancora una rosa, ma stavolta screziata con i colori di entrambe le casate, un fiore variegato come un ghiacciolo di panna e fragola a simboleggiare la fine delle ostilità.

La vera rosa della pace, invece, è gialla avorio con sfumature rosa sul bordo dei petali, in Italia si chiama "Gioia", in Francia "Madame Meilland" e in America "Peace". In realtà è stata brevettata durante la Seconda guerra mondiale dalla ditta Meilland di Cap d'Antibes che l'ha esportata clandestinamente in Europa e nel resto del mondo; in ogni Paese veniva poi ribattezzata con nomi diversi per non rivelarne l'origine straniera. Per un caso del destino, il 29 aprile 1945, giorno scelto per la presentazione di questa varietà in America, in Europa cadeva la città di Berlino sotto l'esercito russo: la guerra stava finalmente finendo. La rosa di Meilland, data la coincidenza, divenne il simbolo della pace e fu offerta a tutti i delegati della conferenza delle Nazioni Unite insieme a un messaggio augurale per un futuro senza più conflitti. Oggi ci piacerebbe vederla fiorire sulla striscia di Gaza e nei giardini dell'Iraq e dell'Afghanistan, luoghi ora brulli, teatro di tragedie infinite, che in passato hanno dato origine a splendide rose rifiorenti che hanno invaso di profumo e mistero i memorabili giardini persiani e mediorientali, come ci dimostrano mosaici e bassorilievi che testimoniano l'antichissimo culto di questo fiore prediletto dagli artisti del mondo arabo.

Non c'è civiltà o movimento artistico che non abbia ritratto la rosa. La troviamo in ogni allegoria e in tutte le possibili metafore, sacre e pagane, dalla Vergine Maria alla divinità femminile nel Palazzo di Cnosso del re Minosse a Creta, o alla *Rosa meditativa* di Salvador Dalì.

Non si sfugge all'incantesimo del più potente tra i fiori. Anche il primo presidente degli Stati Uniti, l'eroe George Washington, celebre per le sue virtù militari che portarono all'indipendenza dell'America, si inchinò al potere della rosa. Nel giardino della sua casa di Mount Vernon, in Virginia, non solo coltivava rose, ma riuscì addirittura a ibridare una nuova varietà a cui, con commovente affetto filiale, diede il nome della madre. Si tratta della "Mary Washington", un'austera noisette bianco rosata, che dal 1790 trovate in commercio ancora oggi. Si vocifera anche di una sua predilezione per la canapa (o marijuana) che coltivava insieme alle rose per studiarne le proprietà medicinali, ma non siamo sicuri dell'attendibilità delle fonti e non vorremmo incrinare neanche per un attimo l'immagine del fondatore dello Stato americano (e comunque non aspirava).

Neppure l'America, dunque, è sfuggita alla mania per questo fiore regale. Grandi vivaisti made in USA esportarono in Europa nuovi esemplari che andavano a ruba tra i collezionisti del Vecchio mondo.

E qui rispunta Claude Monet che, non pago di tutte le ninfee che galleggiavano nel suo laghetto, volle accrescere a dismisura la sua collezione di rose: oltre a possedere tutte le varietà francesi, intraprese anche una fitta corrispondenza con i vivaisti americani per entrare in possesso delle novità d'oltreoceano, tra cui la più ambita era sicuramente la rampicante "American Pillar", una *Wichuraiana* vigorosa con fiori semplici a mazzi rosa-rossastri che schiariscono fino al bianco verso il centro e regalano una fioritura unica ma eccezionale. Una vera ossessione per il nostro maestro impressionista che, dopo averla importata dagli Stati Uniti, la piantò ovunque nel suo giardino, facendola trionfare sui suoi famosi archi in ferro battuto al centro del laghetto come è immortalata nel celebre quadro *Les arceaux fleuris*. Fu anche in grado di moltiplicarla in decine di altre piantine che regalava ad amici e parenti che venivano a trovarlo; ne donò un esemplare persino al presidente francese Clemenceau che, nonostante fosse soprannominato Tigre per il suo decisionismo politico, davanti ai boccioli si trasformava in una pecorella.

Per fortuna il grande pittore godette di fama e onori in vita, altrimenti non si sarebbe potuto permettere di spendere una montagna di soldi in piante, serre e giardinieri. Non a caso il suo amico pittore Pierre-Auguste Renoir, all'epoca meno quotato di lui, non possedendo un giardino "personale", era costretto a vagabondare con tele e pennelli da un luogo all'altro, ospite di mecenati e benefattori per poter dipingere *en plein air*, come il nuovo stile richiedeva.

Anche Renoir aveva un debole per le rose, e dopo aver dipinto per anni quelle degli altri finalmente realizzò il suo sogno, acquistando un oliveto secolare a Cagnes-sur-Mer nel Sud della Francia, zona prediletta dai pittori per la natura rigogliosa e l'intensità della luce che ne esaltava i colori. Lì costruì una casa molto semplice che guardava il Mediterraneo e impiantò il roseto che aveva sempre desiderato insieme a sua moglie Aline, una sua ex modella che gli diede tre figli in tarda età. "La storia tra Renoir e Cagnes è una storia d'amore, sembrava che Cagnes stesse aspettando Renoir e lui l'adottò",[9] così scrisse più tardi suo figlio Jean, il famoso regista francese cresciuto a Les Collettes. Così si chiama ancora questa casa amatissima, trasformata oggi nel Museo Renoir, con il giardino che riconosciamo in tanti quadri che il pittore gli dedicò. Tra i suoi cespugli di rose preferiti spiccano quelli della rifiorente "Autumn damask", una borboniana color rosa foncé, e come ci racconta Derek Fell, grande studioso dei giardini degli impressionisti, non manca la "Painter Renoir", una varietà a cui il pittore concesse il proprio nome nel 1909, forse perché era di una soffusa sfumatura pallida, quella preferita da Renoir per ritrarre le rose, protagoniste indiscusse dei suoi quadri. "Stavo lasciando il suo studio," ci racconta il suo mercante d'arte Ambroise Vollard "ma prima mi soffermai davanti ad alcuni schizzi di rose. Renoir mi spiegò che stava facendo degli studi sull'incarnato per i nudi."[10]

E così il pittore sperimentava tutte le tonalità che poi avrebbe utilizzato per rendere al meglio la carnagione dei suoi sensuali ritratti femminili dove, naturalmente, le rose non mancano mai. Le dipinge dappertutto, nelle mani, tra i capelli o nella profonda scollatura degli abiti spumeggianti come quello elegantissimo della signora della *Donna al palco dell'Opera* (alla quale mi piacerebbe assomigliare in tutto, dal vestito all'epoca in cui viveva). L'artista continuò a dipingere fino all'ultimo, anche quando una dolorosa artrite gli bloccò l'uso delle dita e fu costretto a legarsi il pennello al polso. Andò avanti così, con lo stesso impeto, dispensando pennellate forti e decise com'era nel suo stile. "Le sue pennellate erano urgenti, precise, estemporanee estensioni della sua visione penetrante, mi fecero pensare al volo a zig-zag degli insetti che sfuggono alla cattura", così ci racconta il figlio Jean nella bellissima biografia del padre, dove confessa che ha passato tutta la sua vita a cercare di comprendere l'influsso che questo grand'uomo ha avuto su di lui.[11] Enorme e benefico, a detta dei critici cinematografici che hanno esaltato i suoi film come la naturale prosecuzione dei capolavori del padre.

Sulla scia di Monet e di Renoir, esiste una vera e propria genia di pittori giardinieri, da Manet a Pissarro a Caillebotte, artisti che sceglievano i fiori da piantare nelle aiuole in base ai bouquet che avevano in mente di ritrarre o viceversa.

Ma l'autore più ossessionato dalle rose di qualsiasi altro artista è stato sicuramente Henri Fantin-Latour. Ci ha lasciato più di settecento quadri a soggetto floreale, per lo più rose, dove si esprime tutta l'enfasi e la poesia del romanticismo. Naturalmente anche lui possiede una rosa che porta il suo nome, prodotta nel 1900 da un vivaista sconosciuto: è una centifolia che sembra ritagliata dalle sue incredibili tele, fiorisce una sola volta all'anno ma vale lo spettacolo.

## VIVA LA VIDA

Comunque, se devo scegliere tra tutte le rappresentazioni artistiche, non ho dubbi: le più struggenti sono le rose che la pittrice Frida Kahlo si appuntava come ornamento sui capelli per creare le sue proverbiali acconciature messicane, che poi riproduceva realisticamente nelle sue opere.

"Dipingo i fiori per non farli morire" affermava Frida, e forse per lo stesso istinto di sopravvivenza ha continuato a dipingere sempre se stessa.[12] La sua opera è una catena ininterrotta di autoritratti con fiori, piante, frutta e animali: un inno alla natura e alla bellezza della vita, un rito scaramantico per sconfiggere la morte che le aleggiava da sempre intorno, sin dalla gioventù, quando un terribile incidente le segnò il destino impedendole di avere figli e procurandole una permanente sofferenza alla spina dorsale.

Di lei il grande pittore Diego Rivera, suo adorato compagno e per ben due volte sposo, disse: "Mai fino ad allora una donna era stata capace di mettere sulla tela tanta disperata poesia".[13] Il poeta André Breton ha paragonato le sue opere a "bombe avvolte in nastri di seta".[14] Bombe di dolore, cariche d'intensità emotiva, quadri che lei spesso dipingeva distesa, guardandosi in uno specchio appeso al soffitto, imprigionata da un busto che le impediva qualunque movimento, eccetto quello di tenere in mano il pennello e lavorare. Fuori dalla finestra, il giardino lussureggiante di Casa Azul, la sua fonte d'ispirazione prediletta: piante carnose, fiori generosi, decine di vasi colorati, statuette precolombiane e piccoli teschi di buon augurio. Il tutto circondato dalle alte mura dipinte di un elettrizzante blu cobalto che lo fanno sembrare un quadro vivente. L'hanno ideato e curato insieme, lei e Diego, questo giardino incantato, un prolungamento della casa dove la Kahlo era nata e dove è voluta tornare gli ultimi anni, quando ormai la malattia le aveva tolto la sua proverbiale energia.

"Attendo con gioia la mia dipartita e spero di non tornare mai più" scrisse nelle ultime pagine del suo diario Frida che, sentendo la fine avvicinarsi, ci ha lasciato come testamento un ultimo

> ## *"Dipingo i fiori*
> ## *per non farli morire."*

quadro.[15] Senza il suo volto. Lei non c'è più, ma rimangono per noi enormi cocomeri aperti rosso fuoco con la scritta *"Viva la vida"*, un invito a mordere l'esistenza finché si può, un atto d'amore per la carnalità della natura e alla bellezza dei suoi frutti.

### INDOVINA CHI VIENE A CENA A CASA SCHEFFER?

In questo giro del mondo seguendo le rose alla fine si ripassa sempre dalla Francia. Non è colpa mia se questo Paese ha perso completamente la testa per le rose. In particolare la sua capitale.

"Ma Parigi è un vero e proprio oceano e se vi gettaste una sonda non ne conoscereste mai la profondità" racconta Honoré de Balzac in *Papà Goriot*.[16]

E gettando la rete per scoprire nuovi angoli e giardini segreti della Ville Lumière, abbiamo pescato quasi per caso il Musée de la Vie Romantique, un piccolo *endroit* gremito di rose che nasconde un villino sepolto nel cuore di Pigalle. Lì viveva, dipingeva e coltivava i suoi fiori l'artista Ary Scheffer, molto conosciuto nella movida dell'epoca perché ogni venerdì sera intratteneva un famoso cenacolo di amici. Arrivavano tutti, dal pittore Delacroix al grande virtuoso del piano Liszt, fino alla rivoluzionaria e affascinante contessa Cristina Trivulzio Belgiojoso; scappata da Milano perché considerata una pericolosa sovversiva dal governo austriaco.

In quelle serate speciali, profughi, intellettuali e donne d'*esprit* avevano il privilegio di ascoltare in anteprima le novità musicali che un certo Chopin dedicava alla sua adorata musa, la scrittrice George Sand. "Mi guardava intensamente negli occhi mentre suonavo. Era una musica piuttosto triste, le leggende del Danubio; il mio cuore danzava con lei... E i suoi occhi nei miei, occhi cupi, particolari, cosa stavano comunicando? Lei si è appoggiata al piano e il suo sguardo avvolgente mi ha inondato... Fiori attorno a noi. Mi ha catturato il cuore! Da allora l'ho vista altre tre volte... Aurora... che nome affascinante!"[17]

Nonostante i suoi modi spicci, il vizio del sigaro e i famosi vestiti da "maschio" che tanto fecero scalpore all'epoca, George "Aurore" Sand era di temperamento sentimentale e romantico e davanti alle note blu di Fryderyk Chopin capitolò definitivamente intraprendendo con il genio musicale una storia controversa che durò svariati anni e produsse estasi e malumori, molti romanzi per lei e memorabili composizioni al pianoforte per lui. Così lo descrive Aurore: "Chopin è così debole e timido da poter venir ferito persino dalla piega di una foglia di rosa".[18] Amici e parenti non vedevano di buon occhio questa unione, consideravano la coppia male assortita a causa del temperamento solitario e un po' moralista del grande compositore e i modi mondani e il carattere incandescente della scrittrice. Ma, nonostante le premesse, i due amanti superarono tempeste e marosi, e vissero i loro momenti migliori nella campagna di Nohant, dove George possedeva un rifugio isolato con uno splendido giardino a cui si dedicava personalmente con passione.

Da una donna tanto metropolitana e parigina non ci si aspetterebbe questo attaccamento alla *verdure*, ma come abbiamo visto il legame con la terra e le sue piante è un segreto di tanti grandi ingegni. Nella pace bucolica della casa di campagna, Chopin riusciva ad addolcire la nostalgia per la sua adorata Polonia e si riprendeva dai numerosi acciacchi che lo affliggevano, componendo con fervore mazurche, valzer e polacche che lo resero famoso per l'eternità. Fryderyk suonava tutto il giorno in uno studio isolato in giardino mentre George raccoglieva rose e broccoletti, un idillio che la scrittrice racconta così in una lettera all'amico Delacroix nel settembre del 1838: "Sto nello stesso stato di estasi dell'ultima volta in cui mi hai visto. Non c'è una singola nuvola nel nostro cielo limpido, non un granello di sabbia nel nostro lago… Credi che la felicità non possa durare? Se consulto la mia memoria e la mia ragione non può durare certamente. Ma se mi rivolgo allo stato del mio cuore e alla mia euforia, sembra che non possa finire mai…".[19]

Purtroppo, nonostante le premesse, la relazione non fu eterna, anzi finì piuttosto freddamente pochi anni prima della prematura scomparsa del musicista, da tempo malato di mal sottile, come si conviene a un vero eroe romantico. Il funerale, previsto nella chiesa della Madeleine a Parigi, fu ritardato di almeno due settimane per un problema con il *Requiem* di Mozart che doveva accompagnare le esequie per rispettare le ultime volontà di Chopin. Il famoso brano musicale possiede svariate parti per voci femminili, ma la chiesa della Madeleine non aveva mai permesso alle donne di far parte del suo coro. Dopo due settimane di trattative, gli amici di Chopin arrivarono a un compromesso: le voci femminili ci sarebbero state ma sarebbero dovute rimanere nascoste dietro una tenda nera. E così finalmente fu possibile celebrare il funerale di uno dei più grandi musicisti di tutti i tempi. Chi non si fece vedere, neanche dietro una tenda, fu proprio George "Aurore" Sand che, nonostante la lunga storia d'amore, disertò la funzione suscitando il solito scalpore che l'accompagnò per tutta la sua esistenza.

Il piccolo giardino di rue Chaptal, testimone di cotanta passione, è ancora lì intatto e vi aspetta pieno di rose ben curate come allora. L'appartamento è un piccolo scrigno di cimeli che includono la famosa pipa della scrittrice, nonché il calco in gesso delle preziose mani del pianista, dettaglio un po' macabro ma che all'epoca era normalissimo conservare.

Il grande Chopin fu sepolto nel cimitero monumentale del Père-Lachaise, dove tuttora riposa tra il suo amico Bellini e il suo estimatore Michel Petrucciani, ma il corpo del musicista è stato privato del suo cuore. Chopin non volle lasciarlo a Parigi, dove forse troppo aveva sofferto, chiese nelle ultime volontà di farlo arrivare nella sua Polonia, dove fu incastonato in un pilastro della cattedrale di Santa Croce a Varsavia.

## APPENDICE HIMALAYANA

Di rose ne esistono a migliaia, per tutti i gusti, opulente e sovraccariche di petali come i nuovi ibridi ottocenteschi, o delicate e selvatiche come i cespugli che sopravvivono sulle cime dell'Himalaya. Le avevo viste in foto queste piccole rose, in un accurato libro di una coppia appassionata, Isabella e Vicky Ducrot, collezionisti che hanno viaggiato per il mondo e, come veri cacciatori di piante contemporanei, hanno raccolto ovunque talee e semi che nel tempo sono riusciti a riprodurre nella loro tenuta di Corbara, nei pressi di Orvieto, trasformandola in una delle collezioni di rose più importanti d'Europa.[20]

Molti le conoscono come botaniche o canine: sono rose semplici, a quattro petali leggeri come farfalle, che sopravvivono da sempre a ogni cambiamento climatico e probabilmente hanno visto tramontare svariate ere geologiche. Se non fosse stato per l'allegria e il contagioso spirito d'avventura di mia figlia le himalayane non le avrei mai viste dal vivo, e sarebbe stato un vero peccato.

Nonostante le mie reticenze per l'itinerario fortemente sconsigliato dai tour operator, viste le continue turbolenze politiche tra India e Pakistan, siamo partite comunque, armate del classico ottimismo del viaggiatore neofita. In fondo sono solo quattrocento chilometri da ricoprire tra Srinagar in Kashmir e Leh in Ladakh. Un nonnulla sulla cartina geografica, in realtà un viaggio di due giorni attraverso l'Himalaya superando il passo di Fotu La a 4108 metri sul livello del mare, dove un cartello ti ricorda che stai attraversando il posto più freddo del mondo dopo la Siberia. Siamo sulla famosa Srinagar-Leh National Highway, ma dell'autostrada non ha nessuna caratteristica, questo l'ho capito quando ci siamo ritrovate a bordo di una jeep, su un tratturo minuscolo scavato nel costone della montagna. Panorama mozzafiato sulle cime innevate e terrore ancor più mozzafiato alla scoperta che la stradina non era a senso unico, ma una normale due corsie. Credo sia questo l'unico motivo per cui la chiamano autostrada. Infatti arrivavano puntualmente dalla direzione opposta camion indiani colorati e sgangherati suonando il clacson all'impazzata, del tutto inutilmente, visto che non si può fare nulla per evitarli se non affidarsi a una delle mille divinità che hanno dipinte sulla carrozzeria.

Chi è stato in India e ha viaggiato sulle mulattiere sa cosa intendo per terrore. Il rischio di un frontale è un cufemismo. Ma dopo che il vostro autista, sfidando ogni legge di gravità, si è arrampicato più volte sul costone della montagna per lasciar passare l'allegra ferraglia che arrivava contromano, vi placate in quel meraviglioso stato di estasi che precede ogni disastro. Anche alla paura c'è un limite, e vi lasciate così andare alla rassegnazione e a quella famosa pace dei sensi stimolata anche dall'ossigeno d'alta quota. Sarà forse questo il Nirvana di cui tanto si favoleggia? Chissà, ma è esattamente con questo stato d'animo che ho affrontato il mio primo incontro ravvicinato con la rosa dell'Himalaya.

In una rara pausa del nostro rally per i soliti bisogni primari, mi aggiravo stonata nell'altipiano sassoso, inutilmente in cerca di un anfratto appartato, quando dietro a un costone è arrivata l'apparizione: un maestoso cespuglio di rose spuntava dal nulla e cresceva nel nulla, nutrito da sassi e da un terreno arso di calore che d'inverno si copre per metri di neve quasi eterna. Era lì in piena salute sfoggiando centinaia di piccoli fiori trementi rosa pallido che si disintegravano al vento sostituiti da altrettanti boccioli pronti ad aprirsi. Come poteva crescere così smagliante nell'aridità? Per un attimo mi è sembrato di vedere la Terra com'era prima dell'avvento o meglio dell'intervento dell'uomo, una natura libera e autosufficiente, di una bellezza quasi insopportabile per noi esseri artefatti. Uno splendore così difficile da definire, che per farlo bisogna prendere in prestito le parole di un poeta o di un grande scrittore. Per esempio quelle di Michael Cunningham nel suo romanzo *Al limite della notte*, quando ci regala questa definizione della bellezza: "Come un senso bruciante della presenza divina, dell'indicibile perfezione di tutto ciò che esiste adesso ed esisterà in futuro".[21] Attimo eterno fino alla prossima sventagliata di clacson.

Mi perdonino i Ducrot ma non so se si trattasse di *Rosa pimpinellifolia* o *virginiana*, sfogliando il loro libro a volte mi sembra anche una *Rosa paulii*. Purtroppo devo andare a memoria perché le talee che ho conquistato, graffiandomi tutta come al solito, non hanno attecchito, sono arrivate in Italia dopo un impossibile giro New Delhi-Calcutta-Bombay e, sebbene religiosamente conservate in bicchierini di plastica con giornali bagnati e ogni altra stregoneria, sono decedute all'aeroporto di Roma.

## SOUVENIR DE LA MALMAISON

Ma, come abbiamo già visto, la vita del cacciatore di piante non è tutta "rose e fiori"; il mio fallimento è ancor più umiliante se paragonato alle imprese degli *chasseurs des roses* che, ai primi dell'Ottocento, lavoravano a tempo pieno per Maria Giuseppina Rosa de Tascher de la Pagerie, meglio nota come Giuseppina di Beauharnais, moglie di Napoleone e imperatrice di tutti i francesi (e all'epoca i poveri cacciatori di rose non avevano certo a disposizione passaggi aerei e ormoni radicanti). Mentre Napoleone era occupato nelle battaglie di Austerlitz, Jena o Wagram, sua moglie Giuseppina combatteva ben altre sfide, sicuramente meno cruente. I coraggiosi soldati dell'imperatore avevano l'ordine di battersi fino alla morte. Ma contemporaneamente, per obbedire all'imperatrice, dovevano raccogliere rose in qualsiasi terreno di battaglia si trovassero e inviarle subito con un messo nella tenuta della Malmaison, alle porte di Parigi. Lì, giardinieri professionisti erano pronti ad accogliere e curare ogni nuovo tesoro botanico. Persino durante le ostilità con l'Inghilterra, le rose per Giuseppina potevano viaggiare indisturbate; c'erano ordini precisi da parte dell'ammiragliato inglese che preservavano da qualsiasi attacco le navi francesi addette al trasporto di piante o semi per l'imperatrice. Un lasciapassare molto discusso che lo stesso Napoleone accettava a fatica, al pari delle enormi spese procurate dall'indomabile passione di sua moglie per il giardino. Si narra che Giuseppina lasciò debiti superiori ai 2.500.000 franchi, cifre da far tremare le casse dello Stato ma che l'imperatore avallava perché, nonostante i tradimenti e la mancanza di eredi, era profondamente innamorato della sua "Rose".

L'imperatrice chiamò al suo servizio esperti vivaisti, e in pochi anni riuscì a mettere insieme una delle più vaste collezioni di rose di tutto il Vecchio continente. La sua fissazione erano i nuovi ibridi che offrivano più di una fioritura all'anno e creavano stupore tra gli ospiti della Malmaison. Mai paga, cominciò a popolare il parco di animali rari: cicogne, canguri, uno struzzo, un camoscio, zebre e scimmie di ogni specie. Furono costruite delle enormi voliere per gli uccelli più rari: pappagalli, fagiani dorati della Cina e due meravigliosi cigni neri dal becco amaranto che, lasciati sguazzare felici in un laghetto, si acclimatarono talmente da mettere al mondo un'infinita progenie.

Ma per quietare definitivamente la nostalgia della lussureggiante Martinica, sua isola natia, l'imperatrice fece costruire enormi serre riscaldate da decine di stufe a carbone e le riempì con piante di ananas, vasi con felci gigantesche e fiori esotici. Uno sfarzoso rifugio tropicale arredato con tappeti preziosi e mobili antichi, ideale per ricevere i suoi ospiti mentre fuori la campagna francese era ricoperta di neve.

I gusti di Napoleone in fatto di giardinaggio erano un po' più sobri, ordinati e rigorosi come il suo temperamento. Ma alla fine anche lui s'innamorò di questo parco eccentrico e rigoglioso dove si organizzavano in continuazione feste, balli e concerti; non si sa come, ma fu proprio in mezzo a quel caravanserraglio che l'imperatore concepì il suo austero Codice civile.

Nel frattempo pare che Giuseppina fosse riuscita ad acclimatare ben duecento nuove piante mai viste prima in Francia: rododendri, mirti, ibisco, ortensie, camelie e flox. Al massimo della sua opulenza la Malmaison incarnò in pieno quel luogo unico e romantico che "Rose" aveva sempre sognato e dove tristemente si ritirò dopo che fu ripudiata dall'imperatore in favore della nuova moglie Maria Luisa d'Asburgo. Avrebbe sicuramente rinunciato all'intera collezione delle sue amate rose, a tutti i canguri, zebre e gazzelle se in cambio avesse potuto regalare un erede alla Francia. Ma il destino girò diversamente, e lei rimase da sola con le sue piante, gli animali esotici e un'infinita varietà di viole, il fiore preferito da Napoleone, che l'imperatrice giardiniera non smise mai di coltivare in attesa di una sporadica visita dell'uomo che continuò ad amare, si dice fortemente ricambiata, per tutta la vita. Dopo la morte di Giuseppina avvenuta nel 1814, a soli cinquant'anni, i giardini furono abbandonati e poi venduti all'asta insieme al palazzo. Solo nei primi anni del Novecento gran parte dei possedimenti privati tornarono al governo francese. Ma nonostante gli sforzi compiuti per riportare il luogo agli antichi splendori, è stato impossibile ricreare l'originale bellezza, e molte varietà di rose sono andate perdute per sempre. Per fortuna tra i solerti collaboratori al servizio dell'imperatrice c'era Pierre-Joseph Redouté, un artista belga, illustratore botanico detto il Raffaello dei fiori, che ci ha lasciato i più riusciti ritratti di piante della storia. Per l'imperatrice dipinse di tutto, dai *Lilium* agli *Hibiscus*, ma il suo capolavoro, rimasto ineguagliato, è la raccolta *Les roses*. Più che dipinti sembrano vere e proprie fotografie iperrealiste di tutti gli esemplari in possesso di Giuseppina. Un catalogo completo dove tra galliche e centifolie si capisce l'immensa quantità e varietà di fiori che sbocciavano alla Malmaison. L'imperatrice purtroppo morì prima di poter vedere l'opera omnia degli acquarelli di Redouté completata. E forse fu meglio così, perché in questa immensa enciclopedia Giuseppina è a malapena citata. L'ingrato Redouté già rinnegava i benefici ottenuti dalla famiglia Napoleone e si affaccendava per ingraziarsi i nuovi potenti di turno. Niente di nuovo sotto il sole del potere. Invece rimase incompleto il ritratto che il pittore di corte Pierre-Paul Proud'hon le stava dedicando; mancava solo la rosa che l'imperatrice doveva tenere in mano, ma Giuseppina non fece in tempo a scegliere la varietà da immortalare nel suo quadro e rimase dipinta a mani vuote. Mi sarebbe piaciuto vederla stringere una "Chapeau de Napoleon", un po' per il nome, un po' perché tra le centifolie è la più sfarzosa; ma credo che se fosse vissuta più a lungo avrebbe sicuramente scelto la "Souvenir de la Malmaison", una romantica rifiorente dedicata al suo giardino dal famoso ibridatore Beluze nel 1843.

La leggenda narra che Beluze la trapiantò di nascosto alla Malmaison, quando ormai il parco era stato abbandonato: un estremo omaggio per l'imperatrice che tanto fece per i coltivatori di rose francesi.

Un granduca russo in visita fu talmente colpito dalla bellezza dei petali soffusi di rosa che riportò con sé un esemplare in patria come ricordo, e ancora oggi pare che fiorisca nei Giardini imperiali di San Pietroburgo.

Al di là di ogni leggenda, la "Souvenir de la Malmaison" è una rosa fantastica, da possedere assolutamente in versione cespuglio o rampicante. Ha una corolla che sembra fatta di panna montata, e va bene anche se avete a disposizione uno spazio piccolo o un balconcino perché cresce tranquillamente in vaso e saprà ricambiarvi di tutte le attenzioni.

## IL PANE E LE ROSE

A proposito di panna montata: un'altra rosa da non perdere è sicuramente "Mme Alfred Carriere": una vera signora, rampicante bianca rifiorente, spumeggiante come un tutù dipinto da Degas. Se invece preferite le sfumature color tramonto, la vostra rosa è la "Gloire de Dijon", ibrido di "Tea" del 1853: rampicante molto rustica dal bel fogliame verde scuro, fiori grandi, con i petali *chiffonnés* di colore giallo camoscio che vira verso il rosa. Il grande giardiniere reverendo Samuel Reynolds Hole, autore del fondamentale manuale *A Book About Roses*,[22] ci assicura che, nell'odiosa opportunità di poter coltivare solo una rosa nel proprio giardino, la scelta cadrebbe senza dubbio su una "Gloire de Dijon". E io sono perfettamente d'accordo con lui in tutto, meno che su alcune discutibili affermazioni come: "Chi vuole delle belle rose nel proprio giardino deve assolutamente averle anche nel proprio cuore". Mi sembra un attestato di fiducia esagerato per chi pratica l'attività giardiniera, che come abbiamo visto può essere all'occasione anche una gran brutta persona. Ma questi sono dettagli.

Sulle stesse sfumature della declamata "Gloire de Dijon", con tonalità più aranciate, imperdibile è la rosa "Antico Amore"; un nome perfetto per questa varietà italianissima ibridata dalla signora Anna Medici, moglie di Vittorio Barni, il grande vivaista di Pistoia scomparso da poco. La signora cominciò per diletto a inventare nuove rose e ha finito per regalarci esemplari eccezionali come "Bella di Todi", "Stile '800", "Sans Souci", "Liolà", "Rinascimento" e tante altre. Ora è affiancata dalla nipote Beatrice che porta avanti la gloriosa tradizione familiare collezionando premi prestigiosi in tutti i grandi concorsi internazionali.

E così pure nel campo dell'ibridazione delle rose, che nel nostro Paese è sempre stata una professione maschile, oggi le donne sono riuscite a conquistarsi la loro autorevolezza. E anche questi sono piccoli passi per acquisire quella credibilità professionale che spesso viene negata al talento femminile italico. Ora manca solo che riescano a ottenere maggior spazio e potere come manager, direttori di banca, parlamentari, presidenti del Consiglio e/o della Repubblica, e poi forse risaliremo nella umiliante classifica che ci vede al settanta-

quattresimo posto nel mondo per quel che riguarda la parità
sessuale. Certo manca ancora tempo prima che una donna
premier sulla settantina e passa, liftata a dovere, si circondi di
gigolò minorenni, ma ci auguriamo vivamente che l'emanci-
pazione passi per altre strade.

Qualcosa nella nostra generazione non ha funzionato; affer-
mavamo "Vogliamo il pane e anche le rose" e invece ci siamo
ritrovate con la casa piena di barrette dietetiche e push-up
troppo stretti. Ma vi svelo un segreto: mentre le aspiranti
escort sono solo una minoranza con un ottimo ufficio stam-
pa, per fortuna le nuove generazioni di ragazze sono molto
sveglie.

E ne vedremo delle belle, non solo di rose.


## NINFA FOREVER

> "'È vero principe, che lei una volta ha detto che la
> bellezza salverà il mondo? State a sentire, signori',
> gridò ad alta voce, rivolgendosi a tutti, 'il principe
> sostiene che la bellezza salverà il mondo!'"[23]
>
> *Fëdor Dostoevskij,*
> L'idiota

Per non cadere in depressione in questi tempi discutibili e
opachi c'è pur sempre il buon vecchio rimedio di Fëdor Dostoevskij,
ovvero cercare la bellezza intorno a noi. Esercizio che forse
non riuscirà a salvarci del tutto, ma almeno ci quieterà l'ani-

mo, e se ripetuto nel tempo potrebbe addirittura aiutarci a diventare persone migliori.

Lunghe file ordinate di esseri umani di tutte le razze e religioni che, a Roma come a Parigi o a New York, aspettano sotto il sole o la pioggia per vedere "qualcosa" in un museo, fanno ben sperare sul futuro dell'umanità. E stiamo parlando della ricerca di qualcosa che non li renderà più ricchi in denaro né solleticherà qualche istinto morboso come un delitto mostrato in TV. Qui si parla di un semplice movimento disinteressato verso l'ignoto del bello.

Perché la Cappella Sistina o il Taj Mahal hanno un potere su di noi? Perché i girasoli gialli di van Gogh o le ninfee di Monet ci attirano e ci commuovono? Forse perché, saltando a piè pari tutte le connessioni e i linguaggi conosciuti, parlano direttamente alla nostra anima, instaurano un dialogo con una parte reconda di noi che talora pensiamo perduta per sempre e invece riemerge ogni volta che è stimolata da una musica, un quadro o un romanzo.

Ecco perché è un grave errore non credere nella cultura, è da miopi considerarla solo un accessorio inutile, al pari di un optional per una vettura di lusso. La cultura è invece da sempre il motore della nostra civiltà, ciò che ci muove, ci migliora e ci consola. Platone descriveva l'incontro con la bellezza come un corto circuito che ci proietta fuori dal nostro quotidiano, una scossa anche dolorosa di *saudade* che squarcia il solito orizzonte e ci spinge a desiderare qualcosa che non conosciamo ma di cui misteriosamente abbiamo bisogno.

## UNA GITA A DISNEYLAND

La bellezza è intorno a noi ma dobbiamo saperla cogliere, preservarla dai crolli, non lasciare che venga inquinata o divorata dalla furia della speculazione feroce. La bellezza ci serve perché è terapeutica, come mi ha raccontato un signore inglese che ho incontrato qualche anno fa al Flower Chelsea Show[24] di Londra.

Ero andata, come in pellegrinaggio, a vedere questa famosa fiera dove il principe Carlo in persona partecipa al concorso per il miglior giardino realizzato (diciamo che l'opera dell'eterno aspirante al trono non era esattamente al centro dei miei interessi e i suoi sforzi per riuscire simpatico ed eco-compatibile purtroppo cadono sempre nel vuoto).

Ma al di là del verde regale, la mostra è una specie di Disneyland per chi è appassionato della materia. Si può osservare dal vivo ogni varietà di fiore e di pianta e conoscere i segreti di giardinieri provenienti da tutto il mondo. È come passeggiare in una vera *Lucy in the Sky with Diamonds* vegetale senza bisogno di prendersi un acido. E così, dopo l'apparizione di una parete di lupini in fiore disposti ad arcobaleno come un astuccio di matite Fabriano, proprio dietro un muro di passiflore viola cardinale ecco che mi appare lo stand del nostro Peter Beales. Un trionfo di rose sistemate in tutte le posizioni possibili, un'orgia vegetale di ricadenti, cespugliose, ricoprenti, rampicanti, che portava dritto a una piccola rotonda con panchine e fontanella in pietra e una vera cascatella d'acqua stile presepe napoletano, uno strano angolo di paradiso rococò dentro un freddo padiglione fieristico.

Seduta con il famoso catalogo in mano cercavo di riconoscere boccioli e fioriture pensando ad alta voce come fanno i bambini. Sicura di aver visto una "Reine de Neiges", l'ho esclamato al mondo con entusiasmo, ma un signore elegante sulla settantina, avvolto in una nuvola di morbido tweed, mi ha corretto con educazione: "Mi scusi, ma si tratta di una 'Gruss van Aachen'". "I'm sorry," ho risposto io un po' piccata da questa intrusione non richiesta "but I'm sure che sta sbagliando sir, I have a 'Gruss van Aachen' in my garden, e le assicuro che è differente!" Sorridendo con grazia il gentleman mi ha ribadito che avevo torto e che la "van Aachen" ha delle ombre rosate e i petali più arruffati.

"Uffa," ho pensato "mi doveva capitare il rompiballe di turno" e invece di alzare i tacchi e andarmene ho insistito: "I'm very sorry, ma chi caspita è lei per essere così sicuro di sé?". "Piacere, sono Beales, Peter Beales." Lo ha detto proprio così, come fa James Bond nei panni dell'agente 007!

Se non sono rimasta secca sul posto è stato solo perché ho

deciso che era meglio sopravvivere per farmi fare subito l'autografo con dedica sul nuovo catalogo; e così mi sono esibita più che in una conversazione, in un monologo entusiasta davanti al mio mito di sempre. Mi sentivo nello stesso stato d'animo gasato di quando, a dodici anni, Mick Jagger in persona mi lanciò una rosa dal palco allo storico concerto dei Rolling Stones al palasport di Roma (in realtà non la lanciò a me, ma nel parapiglia generale picchiai duro per accaparrarmi il bocciolo: ho sempre amato le piante, no?).

Mister Beales era divertito dal mio entusiasmo e dalla lista di giardini inglesi che sciorinavo per sembrargli un'adorabile esperta e a un certo punto mi chiese a bruciapelo: "Ma secondo lei qual è il giardino più bello del mondo?".

Sorridendo imbarazzata mi è mancata la risposta pronta. E lui, gentilmente, ha aggiunto: "Per me è sicuramente il giardino di Ninfa, Ninfa forever.[24] Voi italiani siete molto fortunati a possedere un luogo così magico. L'ho visitato un po' di anni fa quando ero triste e un po' malato e mi ha fatto un effetto straordinario. Lei non ci crederà ma ci sono dei luoghi che per la loro speciale bellezza riescono a guarire più di una medicina. È per questo che coltivo rose da una vita; sono così belle che non possono che farci del bene".

Aveva ragione su tutto e mi aveva ricordato il segreto di Ninfa. Come avevo fatto a dimenticarlo? Volevo saltargli al collo e abbracciarlo, ma il suo tweed trasudava sobrietà da ogni quadratino e congelò i miei impulsi mediterranei; mi limitai a sorridere piena di riconoscenza.

Ora lo posso confessare, se mai Mister Beales leggerà queste righe sappia che gli devo un bacio con abbraccio, e sono disposta a portare la carriola tutto il giorno pur di soggiornare per un po' nel suo vivaio e ripassare tutte le rose del mondo in sua compagnia.

Ma di Ninfa non si può scrivere.

È un giardino di una bellezza così struggente e malinconica che si può solo visitare di persona per cogliere a pieno il *genius loci* che si sprigiona da ogni angolo.

A Ninfa "prima di essere meravigliati si è turbati", come ci racconta la scrittrice-vivaista Giuppi Pietromarchi. "È come se coloro che hanno creato questo giardino avessero voluto, con precisa volontà, scolpire e modellare l'immagine del giardino affidandogli i loro sentimenti. La natura ha ricevuto il messaggio e a sua volta lo trasmette a chi visita il giardino oggi."[25] Quindi l'unico modo per contagiarvi con la passione per questo incanto è raccontare la sua storia avventurosa.

Il giardino custodisce sotto delicate *Clematis* e rose rigogliose le rovine di una città medievale. Strato dopo strato, le storie dei suoi abitanti si inseguono raccontandoci di papi sanguinari e lotte fratricide. Incendiata e saccheggiata per vendetta da Federico Barbarossa; espugnata e confiscata da papa Bonifacio VIII (quello per intenderci che Dante scaraventa all'inferno tra i simoniaci); regalata alla terribile Lucrezia Borgia e alla fine abbandonata per decenni all'incuria del tempo, Ninfa si trasforma in una città fantasma, tanto che Ferdinand Gregorovius la definì la Pompei del Medioevo. L'oasi risorge come giardino romantico solo nel 1920, grazie ai principi Gelasio e Roffredo Caetani.

Rocce, caverne, laghetti, resti di antiche case e rovine di chiese erano i classici elementi scenografici costruiti ad arte dai paesaggisti per dare ai giardini un tocco sentimentale. Ma a Ninfa era già tutto lì. Storie, leggende e fantasmi erano da sempre rinchiusi nello spirito del luogo, bisognava solo capire e assecondare.

Così fecero i Caetani, proprietari dal XIII secolo della vasta proprietà nelle paludi Pontine.

Ma più di tutti si affezionò a Ninfa l'americana Marguerite Chapin arrivata in Europa da Boston, New England.

Proprio come Isabel Archer, l'eroina del romanzo *Ritratto di signora* di Henry James,[26] Miss Marguerite era curiosa e appassionata, amava la musica e le arti, con la fondamentale differenza che sulla sua strada di giovane ereditiera non incontrò l'infame Gilbert Osmond ma, per sua fortuna, il mite principe Roffredo Caetani, musicista e letterato.

Quando la giovane coppia si stabilì a Versailles nella proprietà Villa Romaine, l'oasi di Ninfa era ancora lontana, ma il loro salotto francese era già la meta preferita di scrittori e musicisti che si riunivano per discutere e immaginare nuovi scenari culturali.

Era Marguerite la principale animatrice di quelle serate, era lei che invitava gli scrittori a comporre inediti per l'occasione e a leggerli in pubblico e fu ancora lei a far nascere insieme al poeta Paul Valéry la sofisticata rivista "Commerce", che stava per "commercio delle idee": uno scambio libero e creativo voluto fortemente da "Princess Caetani" che pubblicava generosamente a sue spese autori ancora sconosciuti, scopriva talenti nell'ombra e ospitava anteprime importanti come i primi frammenti dell'*Ulisse* di James Joyce e il *Woyzeck* di Georg Büchner. Ad arricchire questo carnet formidabile c'erano anche Eliot, Kafka, Pasternak e Rilke (quello della rosa sulla lapide).

Indomita e colta, Marguerite continuò a riunire intorno a sé gli intellettuali dell'epoca anche quando si trasferì con la famiglia a Roma, a Palazzo Caetani, che diventò un altro punto di riferimento per gli scrittori e insieme alla tenuta di Ninfa entrò immediatamente nel cuore dell'americana.

L'oasi pontina subito si trasformò in un luogo di incontro per gli amici che fuggivano dalla cappa provinciale e oscurantista della cultura fascista; era appagante ritrovarsi nel parco di Ninfa per respirare l'aria salubre e libera di quello spazio aperto a cui affidavano i loro sentimenti.

La principessa, sempre piena d'energie creative, arricchì l'antico feudo di piante rare e inusuali, importò molte specie botaniche. Si comportò con il giardino proprio come faceva con le idee dei suoi scrittori, creava l'humus per far attecchire nuovi virgulti. E proprio per le nuove storie dei suoi autori preferiti decise ancora una volta di fondare una rivista letteraria, questa volta insieme a Giorgio Bassani, a cui la legava una profonda amicizia. La chiamarono "Botteghe Oscure", come la via dove sorgeva il suo palazzo a Roma.

La qualità e il livello dei collaboratori della nuova pubblicazione è impressionante: Montale, Saba, Calvino, Silone, Moravia, Morante, Pasolini, Bertolucci. Come è impressionante la varietà di rose che si incontrano tra le rovine di Ninfa: *Rosa x anemonoides*, *Rosa Filipes Kiftsgate*, "Général Schablikine" e, naturalmente, le imperdibili "Mme Alfred Carriere" e "Gloire de Dijon".

Fedele alle sue grandi intuizioni letterarie, l'appassionata "Princess Caetani" pubblicò in anteprima alcune pagine del romanzo di un siciliano sconosciuto, Tomasi di Lampedusa, anticipando uno dei più grandi successi letterari del nostro Paese. Ninfa respirò questa epoca di sogni e speranze, ma fu anche la depositaria di grandi dolori inconsolabili quando il giovane erede Camillo Caetani, unico figlio maschio di Marguerite, morì in guerra in una circostanza rimasta sempre torbida e misteriosa.

Solo anni dopo si venne a sapere che era stata una vendetta perpetrata dal governo fascista nei confronti dei principi Caetani che mal sopportavano la dittatura e si erano permessi di rifiutare pubblicamente ogni aiuto dal regime per risparmiare al figlio la chiamata alle armi.

Troppo orgogliosa e appassionata, Marguerite nascondeva quel segreto che avvertiva come una colpa e non se ne dava pace. Alla sua morte, all'età di ottantatré anni, la figlia Leila prese in mano le redini del giardino e diede vita alla fondazione che ancora oggi si occupa di preservare questa meta unica al mondo. Più di cento specie di uccelli vivono indisturbate, l'acqua sgorga dalla cascata nello specchio del lago riflettendo la fioritura spettacolare dei ciliegi ornamentali e un'infinita varietà di aceri giapponesi. Lo schema del giardino è totalmente libero e informale, segue docile la volontà della natura e l'intreccio dei mille pensieri che uomini e donne appassionati gli hanno affidato nel tempo.

# 12

# IL PARADISO RITROVATO

\* \* \* \* \*

*"Noi dobbiamo scegliere il buono altrimenti ci estin-
gueremo. I dinosauri hanno fatto l'errore di scegliere la
corazza come protezione invece dell'intelligenza e per
questo si sono estinti. Noi facciamo parte del mondo
naturale e se non ci comporteremo da persone naturali
finiremo con l'estinguerci. Per questo dobbiamo scegliere di diventare umani."*

Arthur Charles Clarke[1]

Nel pieno degli anni Ottanta Tim Smit, compositore e produttore musicale olandese, aveva raggiunto un discreto successo
con le sue canzoni pop. *Midnight Blue*, di cui sinceramente non
ricordo la melodia, entrò perfino nelle classifiche giapponesi
per qualche settimana. Ma, nonostante la brillante carriera di-
scografica, prima dei quarant'anni Tim mollò tutto.
Aveva deciso di inseguire un sogno comune alla sua generazione:
cambiare vita, allentare i ritmi e andare a vivere in campagna.
Si mise in cerca di una fattoria in Inghilterra, terra d'origine di
sua madre; battendo al setaccio soprattutto il Sud, la Cornova-

glia, il punto più occidentale dell'isola, la magica Land's End. La fine della terra per un nuovo inizio.

La Cornovaglia è una regione seducente e misteriosa, culla dei Celti e patria di tutte le leggende di re Artù e i cavalieri della tavola rotonda. Per capirci, lì viveva Mago Merlino, a cui io credo più che a Babbo Natale e alla Befana messi insieme. E come se non bastasse *Rebecca, la prima moglie* o *Gli uccelli* di Hitchcock,[2] sono storie oscure e inquietanti tratte dai romanzi di Daphne du Maurier, nate e ambientate sempre in Cornovaglia, dove la scrittrice viveva in un maniero a picco sul mare.

E per un altro mistero climatico, in questa regione tenebrosa e romantica l'inverno è mite come nel Sud della Francia, tanto che riescono a crescervi piante mediterranee e addirittura tropicali.

Per tutte queste ragioni Tim si trovava quel pomeriggio d'aprile, insieme a un amico, immerso in un mare di rovi. Stava esplorando una tenuta in vendita vicino al villaggio di Pentewan, da dove si godeva un'invidiabile vista della costa dall'alto. Ma la proprietà versava in pessime condizioni: abbandonata da anni, era ormai ricoperta da un manto impenetrabile di edera ed erbacce. Se la curiosità dei due amici quel pomeriggio non li avesse spinti a inoltrarsi in quel groviglio di piante, se fossero tornati al pub a farsi una birra, non avremmo mai scoperto gli Heligan Gardens,[3] un luogo incantato che era rimasto sepolto come "la bella addormentata nel bosco" per più di settant'anni. Mister Smit scorse un muro tra i rovi, si fece strada con difficoltà tra liane e arbusti spinosi fino a scoprire una vecchia porta malmessa, e come Alice nel paese delle meraviglie non esitò a entrare.

La tenuta per più di quattrocento anni era appartenuta alla famiglia Tremayne, nobili eccentrici con manie di grandezza che costruirono, generazione dopo generazione, un parco pieno di attrazioni vegetali, composto da un giardino mediterraneo, un orto con un'incredibile varietà di ortaggi, enormi serre destinate alla coltivazione di frutti esotici, nonché una vera e propria giungla di piante rare e tropicali che si erano perfettamente acclimatate nel Regno Unito.[4]

Ventidue giardinieri lavoravano nella tenuta che dava da mangiare a tutto il vicinato, ma allo scoppio della Prima guerra mondiale i giardini incantati di Heligan non furono risparmiati: la casa servì come ospedale di guerra per dare ricovero ai feriti; i giardinieri, arruolati nell'esercito, partirono per il fronte e non fecero più ritorno. Le terre furono abbandonate a se stesse e la natura fece il resto.

Fino al giorno in cui Tim Smit non aprì quella porta e scoprì sotto una coltre di rami e sterpaglie un vero tesoro vittoriano: la vecchia serra era lì ad attenderlo. Tutto era rimasto immobile nel tempo, persino la teiera pronta per la pausa pomeridiana e gli attrezzi, abbandonati come se tutti dovessero tornare da un momento all'altro. Il luogo, come i giardini di Ninfa, è riemerso dal passato stregando per sempre l'ex musicista, che con un entusiasmo contagioso ha riunito subito un drappello di amici e benefattori per rimetterlo a nuovo.

Fu un segno del destino, la redenzione che cercava.

"Abbiamo salvato il giardino dopo che il giardino ha salvato noi." Così Tim Smit commenta nel suo libro questa avventura a cui da quel giorno ha dedicato la sua vita.[5] Dopo quindici anni di lavori, dal groviglio inestricabile sono stati riportati alla luce fontane, pozzetti, rare specie d'alberi provenienti da ogni parte del globo, compreso uno dei pini neri più alti del mondo, una collezione di rododendri monumentali con rami lunghi quasi 26 metri, portati dall'Himalaya nel 1847 dal famoso collezionista di piante Sir Joseph Dalton Hooker e poi tunnel di bambù, palme, liane, una lussureggiante giungla subtropicale con rare varietà di felci giganti.

Oggi "The Lost Gardens of Heligans", anche se si chiamano ancora così, non sono più perduti, anzi sono un vero paradiso ritrovato. Nelle serre sono tornate le ananas giamaicane e l'orto è un inno alla biodiversità: si coltivano cardi e un tipo di cavoli verdi quasi in via di estinzione, strane bietole dalle foglie striate di rosso o di verde, sei specie di fave, cinque di piselli, una dozzina di tipi di cavoli e cavolini di Bruxelles, e almeno ventisette diverse tipologie di patate, fra cui le *rattes* a pasta gialla. Insomma il sogno di ogni vegetariano. Il rabarbaro viene coltivato sotto antiche campane di terracotta, e i

*"Abbiamo salvato il giardino dopo*
*che il giardino ha salvato noi."*

fagiolini si arrampicano su strutture di bambù proprio come una volta.

Ma quando i visitatori passeggiano tra queste meraviglie avvertono che non si tratta solo di semplici frutti della terra. A Heligan si percepisce qualcosa di più, che ci racconta del nostro controverso rapporto con la natura, e si intravede la possibilità di uno stile di vita diverso, ancora realizzabile e sicuramente più compatibile con la sopravvivenza sul nostro pianeta.

Per questo Tim Smit tende a precisare: "Non siamo qui solo per recuperare una prospettiva storica, ma per guardare al passato e al futuro: per capire da dove arrivano i nostri giardini e il nostro cibo, per confrontarci con le sfide che il futuro ci pone davanti. Vogliamo preservare, migliorare l'ambiente e tramandare questo paesaggio alle generazioni future".[6]

Non contento, l'infaticabile Tim ha rilevato una vecchia cava di argilla a pochi chilometri dai giardini e, grazie alla sua notoria cocciutaggine e forse – considerata l'impresa – anche con l'aiuto di Mago Merlino, è riuscito in un altro piccolo prodigio. Si chiama Eden Project, 15 ettari rinchiusi sotto serre tecnologiche tra le più grandi mai costruite al mondo, enormi bolle che da lontano sembrano gli occhi sfaccettati di un insetto fuori misura.[7]

Sotto queste cupole ci sembra di scoprire il mondo com'era prima dell'avvento dell'uomo. C'è la serra mediterranea con più di mille piante tra agrumi, ulivi, viti, palme e ogni tipo di fioritura stagionale, e c'è un'intera foresta pluviale all'interno della serra più grande, così alta da poter contenere la Torre di Londra. Tanto che i giardinieri per prendersi cura delle piante devono viaggiare su una piccola mongolfiera creata per l'occasione.

Più di un milione di persone ogni anno visita questo paradiso "ricreato" dove si tengono di continuo conferenze, concerti, gite scolastiche e altri eventi; ma "Eden Project" non è solo un parco dedicato alla vegetazione; nelle intenzioni del suo ideatore e del team che lavora con lui "le piante sono l'unica tela su cui possiamo dipingere con ottimismo il nostro futuro".[8] Mostrare e spiegare le meraviglie delle foreste pluviali serve a far comprendere l'importanza vitale che rivestono per la sopravvivenza del pianeta. La loro esistenza aiuta il clima della Terra, perché assorbono grandi quantità di $CO_2$ che noi continuiamo a produrre senza sosta nonostante tutti i protocolli di Kyoto e gli allarmi internazionali. Si chiamano "foreste pluviali" perché producono enormi quantità di pioggia che danno vita ai raccolti e, grazie all'evaporazione, creano le famose nuvolone bianche di panna montata che ci salvano dai raggi ultravioletti: senza questi schermi la temperatura globale raggiungerebbe quote ancora più pericolose.

> *"Le piante sono l'unica tela*
> *su cui possiamo dipingere*
> *il nostro futuro."*

Praticamente una "mano santa" naturale che noi distruggiamo sistematicamente. Ogni ventiquattro ore nel mondo viene deforestata una zona grande più del doppio della grande serra in Cornovaglia; ormai le foreste ricoprono solo il 5 per cento del pianeta; ciò che non è stata in grado di fare l'evoluzione in milioni di anni noi lo stiamo facendo in poco più di una generazione.

## ABBRACCIARE UN ALBERO

Consiglio la lettura dell'appassionato libro di Giuseppe Barbera, *Abbracciare gli alberi*,[9] che ci aiuta a riconsiderare l'albero non solo come un palo dove poter inchiodare un cartello stradale; la sua lettura riesce a riconciliare anche i più refrattari alle gioie dei boschi.

C'è chi, per protesta contro la deforestazione, gli alberi li abbraccia veramente. Hanno cominciato le donne in India a Garhwal Himalayas, alla fine degli anni Settanta, creando il movimento dei Chipko (in hindi letteralmente: "abbracciare"), pare ispirato a un'antica storia del Settecento che racconta come l'eroina Amrita Devi guidò trecento donne al sacrificio della vita per salvare dall'abbattimento una foresta di alberi sacri, abbracciandoli uno per uno, senza arrendersi davanti alle minacce di morte. Il movimento, che a Stoccolma nel 1987 ha ricevuto il premio Nobel alternativo, ha un'ispirazione pacifista di radice gandhiana e ultimamente ha difeso con un abbraccio collettivo gli alberi di un grande parco alla periferia di Delhi, dove volevano costruire un centro commerciale. Le donne dei movimenti Chipko, nel tempo, sono diventate un simbolo e un'ispirazione per tanti eco-combattenti nel mondo. Ma se gli alberi sono troppo grandi per essere abbracciati si possono occupare. In California, Julia Butterfly Hill ha vissuto due anni su una sequoia di nome Luna, per difenderla dal taglio della Pacific Lumber. "Ho messo il mio corpo dove stanno le mie convinzioni" ha dichiarato.[10]

Sembrano povere, tenere e inutili sognatrici davanti al cinismo della politica contemporanea, ma non è così: sono donne con la testa dura che hanno capito meglio di chi dovrebbe governarci il pericolo a cui stiamo andando incontro.

Ma non c'è bisogno di andare troppo lontano per documentare i quotidiani attentati alla natura. Nella civile Milano, capitale "morale" del Paese, c'era una volta un bosco con centinaia di piante secolari, rose e uccellini, dal simbolico nome "bosco di Gioia". Ora al suo posto c'è lo sfavillante palazzo della Regione, gli alberi sono stati segati alla chetichella durante un weekend lungo per non dare nell'occhio, visto che i milanesi avevano raccolto 16.000 firme cercando di difendere a ogni costo questo verde ancora non cementificato. Rocco Tanica, una delle anime degli Elio e le Storie Tese, si è addirittura accampato lì per due mesi con tanto di digiuno di protesta. Ma non c'è stato niente da fare. La sua vittoria di Pirro, magra ma simbolica consolazione, è una possente magnolia centenaria scampata al massacro. Gli architetti della Regione, per non abbatterla, sono stati costretti a cambiare il progetto del casermone risparmiando un piccolo triangolo di natura che stringe il cuore a guardarlo. A malapena ci consolano le parole definitive del finale della canzone degli Elii *Parco Sempione*:

> "Qualcuno pensa che sia più pratico radere al suolo un bosco considerato inutile [...] han distrutto il bosco di Gioia questi grandissimi figli di troia!".[11]

## CHIÙ PIL PER TUTTI

> "La gravità crescente dello stress psicofisico innescato dalla violenza al paesaggio, dalla bellezza distrutta e dal brutale consumo del suolo non ha ancora ricevuto l'attenzione che merita."[12]
>
> *Salvatore Settis,*
> Paesaggio Costituzione cemento

Il cambiamento del clima è la sfida più grande del Ventunesimo secolo. Se non ridimensioniamo seriamente l'uso dei carburanti fossili (e per ora la volontà di farlo veramente non sembra profilarsi all'orizzonte) e non fermiamo la deforestazione, le concentrazioni dei gas serra continueranno a crescere mettendo a rischio la nostra vita sulla Terra. Come ci ricorda Sir Ghillean Prance, per anni a capo dei Kew Gardens:[13]

> "La foresta pluviale è la colla che tiene il clima del nostro pianeta. Se la perdiamo si avranno conseguenze devastanti per tutte le forme di vita sulla Terra".

Camminare dentro una foresta pluviale è un'esperienza unica, specialmente per gente che non ha più dimestichezza con la natura. Per noi metropolitani incalliti, che ci nutriamo di polveri sottili e zigzaghiamo come scimmie tra un'auto parcheggiata sul marciapiede e una in doppia fila, questo incontro ravvicinato con boschi e foreste può provocare un cortocircuito formidabile e suscitare inquietanti interrogativi.

E se l'Eden fosse proprio la Terra dove tuttora viviamo e non ce ne fossimo mai accorti? E se invece di essere stati cacciati dal paradiso terrestre non ci fossimo mai mossi?[14] Forse con il tempo l'abbiamo solo devastato di più, rendendolo irriconoscibile. Ma se noi umani siamo rimasti sempre qui allora sarà stato Dio ad andarsene... perché no? Stanco degli uomini, esausto per la loro limitatezza ha deciso di mollarli al loro destino. L'abbiamo nauseato con le nostre malefatte o forse si è solo distratto, si è messo a creare altri mondi nella speranza che gli venissero meglio. Anche il Grande Giardiniere dell'universo forse va avanti a "tentoni nel buio". C'è grossa crisi per tutti, sbagliando s'impara e magari nel tempo è migliorato pure Lui.

E finalmente dopo aver creato Terra 2, 3, 4 eccetera, arrivato a Terra 1600, ha raggiunto la perfezione e si è fermato. E intanto gli altri 1599 pianeti continuano a girare nell'universo, raffazzonati, imperfetti, venuti così così; ma ormai li aveva creati, che s'arrangiassero.

Siamo stati lasciati in balìa di noi stessi, con le trivelle petrolifere che bucano ovunque, la mafia che imperversa a tutte le latitudini, il gratta e vinci per consolarci e le vittime civili che ormai sono la maggioranza nelle guerre moderne; per un muro di Berlino che crolla ne vengono costruiti molti di più: dai confini del Messico alla striscia di Gaza, sui muri non ci batte nessuno. Ci avevano consegnato un giardino e l'abbiamo trasformato in una discarica a cielo aperto.

Se solo Dio sapesse in che guai ci ha lasciato. Ma forse siamo ancora in tempo a riparare, almeno secondo la scienziata Vandana Shiva, gli economisti Jeremy Rifkin e Amartya Sen e tante altre menti eccellenti che ancora si battono, nonostante tutto, per invertire la rotta degli eventi. Premi Nobel, scienziati pluripremiati che vengono trattati dai vecchi manager del capitalismo rapace come dei poveri utopisti rompiballe, ragazzini che rincorrono sogni come aquiloni.

Eppure, dovunque nel mondo, comincia a vacillare l'idea che

la crescita esponenziale dell'economia che tutto divora, foreste comprese, sia l'unica possibilità di benessere.

Dopo i primi tentennamenti, con i vari scoppi delle bolle
speculative e le truffe bancarie, la dittatura del PIL, questo
nuovo totem moderno, non è più così granitica. "Il benessere
dei cittadini non si misura solo dal Prodotto interno lordo
(PIL) o dai successi dei titoli in borsa, ma anche dalla felicità
di ogni singolo individuo."[15] Questa affermazione esagerata
non si deve a un pericoloso estremista, ma arriva da David
Cameron, primo ministro inglese del nuovo governo conser-
vatore, che su questa scia ha lanciato un nuovo sistema di
rilevazione per quantificare il *well being*, il benessere della popolazione. Non è una novità, l'aveva già capito quarant'anni
fa Robert Kennedy in un suo memorabile discorso del 1968:
"Il PIL non tiene conto della salute delle nostre famiglie, della
qualità della loro educazione o della gioia dei loro momenti
di svago. Non comprende la bellezza della nostra poesia o la
solidità dei valori familiari [...]. Il PIL non misura né la nostra arguzia né il nostro coraggio, né la nostra saggezza né la
nostra conoscenza, né la nostra compassione né la devozione
al nostro Paese. Misura tutto, in breve, eccetto ciò che rende
la vita veramente degna di essere vissuta".[16]

Ma solo adesso i governi cominciano a esplorare queste nuove possibilità. Anche il presidente francese Nicolas Sarkozy,
esponente della destra conservatrice, ha istituito una com-

missione di scienziati e sociologi, con a capo il premio Nobel per l'economia Joseph Stiglitz, per studiare il superamento del nostro modello di sviluppo basato solo sulla crescita illimitata. Potrebbero sembrare solo bei discorsetti di propaganda, pillole di zucchero per far digerire ai cittadini i tagli dovuti alla crisi economica, e in parte lo saranno pure, visto le politiche senza scrupoli che si stanno attuando nella pratica quotidiana. Ma ormai in troppi cominciano a crederci davvero, per poter tornare indietro. Se erano solo discorsetti, peggio per loro.

Un'inversione di rotta è possibile. Forse siamo finalmente alla vigilia di una nuova era nella quale non sarà utopistico coniugare crescita e responsabilità. Il consumismo sfrenato, il bisogno continuo di status symbol, merci varie e cose nuove non portano per forza alla felicità né alla qualità della vita. Anzi, come ci spiega Andrea Segrè, "nell'ultimo mezzo secolo, mentre la ricchezza dei Paesi occidentali ha continuato a crescere, la famiglia è entrata in crisi e sono drammaticamente diminuite la fiducia negli altri e la fedeltà ai valori comunitari: si sono anzi diffuse vere e proprie malattie sociali come ansia e depressione".[17]

Oggi che le risorse della Terra sono agli sgoccioli, forse è il caso di spingere la politica a ridiscutere l'economia. Ovunque si stanno studiando nuovi sistemi di crescita che impieghino meno risorse e producano maggior benessere.

293

"La via d'uscita non può che percorrere la strada di settori produttivi che riducano i consumi di energia e l'inquinamento a parità di servizi. Questi settori, proprio perché non sono mai stati presi in seria considerazione, hanno margini di mercato molto ampi e straordinarie potenzialità di sviluppo" spiega Maurizio Pallante in *La decrescita felice*.[18]

Paradossalmente il PIL, che viene conteggiato come miglioramento in termini prettamente economici, non solo non include la qualità della vita ma cresce in presenza delle nostre peggiori disgrazie: lo fanno aumentare incidenti stradali, le morti per cancro, i terremoti e le valanghe. Finché si rimuovono macerie, si ricostruiscono case, si vendono medicine o nascono nuovi cimiteri, si muove anche l'economia. Ma a che prezzo per il reale "Benessere Interno Lordo" di un Paese?

Le nuove unità di misura della crescita, per essere attendibili, dovranno tener conto del vero miglioramento di una società, includere parametri come la tutela della salute, la diffusione dell'istruzione, lo smaltimento dei rifiuti, l'inquinamento atmosferico. Le statistiche, quando ci parlano di reddito pro capite, non fotografano l'effettiva situazione di un Paese né il suo decadimento generale. Che benessere può esistere in un luogo stracementificato, inquinato, invaso dai rifiuti, dove dieci famiglie su cento sono ricchissime e le altre fanno fatica ad arrivare alla fine del mese? Ormai è più che evidente: il PIL non aumenta in misura uguale per tutti e non ci racconta

*"Il nostro stile di vita occidentale*
*è possibile perché l'80 per cento*
*dei commensali non si siederà mai*
*a questo banchetto."*

onestamente la reale condizione di tutti gli abitanti della Terra. E non dobbiamo dimenticare che "il nostro stile di vita occidentale è possibile perché l'80 per cento dei commensali non si siederà mai a questo banchetto".[19]

Ma per quanto tempo ancora sarà possibile godersela con le risorse e il lavoro sottopagato degli altri? Non possiamo continuare a innalzare muri sempre più alti intorno ai nostri bei giardini per arginare e non vedere l'assalto dei disperati pronti a tutto. Inquinare con spensieratezza, senza controlli né ammende e poi fuggire nei paradisi più fiscali che terrestri è uno sport che, anche volendo, non può durare in eterno.

Fino a quando sarà lecito andare a produrre altrove con condizioni economiche migliori dovute solo al fatto che le condizioni degli operai in quei Paesi sono invece di gran lunga peggiori? Come ci ricorda Woody Allen, "il denaro non fa la felicità, figuriamoci la miseria!". Anche mettendo la coscienza sotto i piedi, questo intenso sfruttamento avrà presto un epilogo e forse sarebbe meglio anticipare qualche aggiustamento prima dell'apocalisse finale.

## LA DECRESCITA FELICE

"La decrescita dovrebbe essere organizzata non soltanto per preservare l'ambiente ma anche per ripristinare il minimo di giustizia sociale senza la quale il pianeta è condannato all'esplosione."[20]

*Serge Latouche,*
Manifesto del doposviluppo

Potremmo provare se non proprio una decrescita felice, almeno un gioioso rallentamento, o meglio ancora un allegro cambiamento di percorso, come ci consigliano ormai la maggior parte degli economisti e politologi più attenti.

Guai a far seguire alla parola "consumare" l'aggettivo "meno", finireste al muro davanti a un plotone di sapienti del mercato con i fucili spianati. Ma se invece provate ad aggiungere la parola "meglio" forse vi lasceranno liberi su cauzione.

Solo in Italia ogni anno finiscono nel cassonetto oltre 200.000 tonnellate di alimenti per un valore di circa un miliardo di euro, con i quali sarebbe possibile sfamare 600.000 persone: tre pasti al giorno per 365 giorni. Questo spreco ingolfa anche lo smaltimento dei rifiuti, aumentando l'immissione in atmosfera di 300.000 tonnellate di $CO_2$ l'anno (si torna sempre lì). Forse un ragionamento intorno a un tavolo varrebbe la pena di farlo. Se lo augurano tante associazioni che da anni si muovono nell'ombra per modificare questo stile di vita o almeno per arginarne le conseguenze, come Last Minute Market[21] che ha creato una rete di distribuzione del cibo vicino alla scadenza, che normalmente verrebbe buttato dalle grandi catene di supermarket quando è ancora buono, e con tutte la sue voluminose confezioni intatte va a intasare le nostre discariche. Certo nel nostro Belpaese molte cose sarebbero già diverse se solo si combattessero seriamente la corruzione e l'evasione fiscale. Ma purtroppo neanche le moderne tecnologie ecosostenibili come l'eolico sono uscite indenni dalla voracità delle tangenti di Stato e ogni giorno la cronaca giudiziaria ci regala una lista di misfatti in tal senso; ma per fortuna è in atto una "nuova resistenza" da parte delle ultime generazioni che vogliono riprendersi il futuro che gli abbiamo sperperato.

"Un tempo chi si occupava di queste cose era visto come qualcuno un po' velleitario. Come il colibrì della favola che va col becco pieno d'acqua a spegnere l'incendio nella foresta mentre gli elefanti scappano nella direzione opposta e gli chiedono dove vada. Il colibrì risponde dicendo che lui va nella direzione giusta; ma pur sentendosi nel giusto, non incide, e la sua è più che altro una testimonianza. Oggi possiamo dire che chi si occupa di responsabilità sociale non è più un colibrì, ma c'è una squadra di pompieri all'opera, proprio mentre gli elefanti escono tristi e intruppati dalla foresta."

Sono diventati troppi i segnali virtuosi per continuare a far finta di nulla e la nostra passione giardiniera, nel suo piccolo, può partecipare al grande cambiamento.

Gli orticoltori urbani sono ormai un boom planetario. C'è

chi lo fa per sé, chi alleva api e produce miele per tutto il condominio o chi, come il celeberrimo alimentari Zabar nell'Upper East Side, vende primizie e prelibatezze coltivate direttamente sul tetto del negozio, dentro serre riscaldate dai forni della panetteria, per la serie: non si spreca più niente. Il sindaco di New York vorrebbe trasformare la Grande Mela nel campione americano di sviluppo sostenibile e offre sgravi fiscali a chi istalla un orto sul tetto di casa, o meglio in cima al grattacielo. Un nuovo King Kong forse troverà un habitat più confortevole e il suo prossimo giro turistico a Manhattan potrebbe rivelarsi più fortunato.

Dall'America alla Cina all'Europa il fenomeno sta dilagando. Non solo si ha il vantaggio di avere verdura fresca a chilometro zero, ma i tetti-giardino diventano un efficace sistema contro l'inquinamento, migliorano il microclima, la temperatura degli interni e attutiscono anche il rumore. Oltre alla bellezza di vedere spuntare alberi da frutto assieme a padelloni satellitari.

Seneca non avrebbe apprezzato questa nuova tendenza; nei suoi scritti si indignava della diffusione dei giardini pensili dell'epoca, chiedendosi se non vivono contro natura coloro i cui alberi ondeggiano sulla sommità dei loro palazzi. Ma forse avrebbe gradito l'orto multietnico parigino di oltre mille metri quadrati messo in piedi dall'associazione delle donne maliane di Montreuil, un'istituzione che da anni collabora con il Comune per migliorare le condizioni di vita delle immigrate africane. Queste donne lavorano la terra per fare amicizia, uscire dalle pareti domestiche, condividere problemi e coltivare la pratica del dono. Provengono da Algeria, Spagna, Turchia, Tunisia, Vietnam, Senegal e Mauritania. Si scambiano dritte sulla vita e sugli ortaggi, mischiano allegramente le loro culture ma anche le colture, il pomodoro San Marzano si sposa con il coriandolo e la vita è più appetitosa. La presidentessa dell'associazione Hawa Camara ci racconta: "Qui impariamo tutte l'una dall'altra: le africane dalle asiatiche, le magrebine dalle europee e viceversa. Come ripeto spesso alle mie amiche, se può crescere una pianta perché non può farlo anche l'amicizia?".[22]

Troppo romantico e buonista? Eppure finora il cibo è stato un formidabile strumento di integrazione, i successi di Terra Madre,[23] associazione nata da una costola di Slow Food di Carlo Petrini, sono la dimostrazione quotidiana di questo processo virtuoso. "La terra ha abbastanza per le necessità di tutti, ma non per l'avidità di pochi."[24] Basterebbe questa famosa frase del Mahatma Gandhi per definire le attività di Terra Madre. Infatti la sua ultima sfida consiste nell'impiantare mille orti in Africa. Una cifra non risolutiva, ma sicuramente un virus positivo che può crescere e moltiplicarsi, perché uno degli obiettivi è sicuramente quello di potenziare le economie locali, sfiancate da decenni di sfruttamento e colonizzazioni.

Correggere il proprio stile di vita, alzare lo sguardo dal nostro ombelico ed esercitare "empatia" verso i propri simili. Questa, per Rifkin, è l'unica possibilità non utopistica per cambiare rotta al nostro destino, come ci spiega nel suo saggio *La civiltà dell'empatia*.[25]

L'economista auspica un mutamento nell'economia globale con l'avvento di una Terza rivoluzione industriale, un nuovo sistema di produzione che possa portarci a "un capitalismo re-distributivo", probabilmente l'unica strada percorribile dopo il fallimento dei sistemi adottati finora.

Che non significa, come sentenziano i detrattori, tornare indietro nel tempo, rinunciando al progresso e alla civiltà, anzi. Io che, negli anni Settanta non mi sono privata di nessuna esperienza "formativa", ho vissuto per un lungo periodo in campagna, in un casolare fuori dal tempo con la romantica intenzione di rivivere un'innocente Arcadia, la famosa età dell'oro che qualunque civiltà prima o poi vagheggia. Era un luogo incantato dove naturalmente non erano arrivate ancora né luce né acqua, e il primo paese abitato si trovava solo a cinque chilometri di strada bianca, peraltro piena di buche. Al di là dell'indubbio fascino selvaggio, vi assicuro che è stata una vera "ammazzata". Ancora ancora si riesce ad allattare un neonato al lume di candela, ma provate a cambiare un panno-lino con il rischio che della cera bollente vi finisca sul culetto del pargolo ignaro! Quando ci regalarono un televisore a pile per la prima volta compresi la frustrazione del potenziale immigrato davanti allo show del sabato sera: irresistibile l'attrazione "effetto calorifero" di paillette e mille luci.

Ricordo la commozione con cui riabbracciavamo gli agi più elementari quando facevamo visita ai parenti metropolitani. Per non perdere l'abitudine si andava a respirare deliziati vicino alle centraline che misurano l'inquinamento nel centro trafficato della capitale.

Non credo che nessuno di noi voglia tornare indietro al Medioevo, ma è proprio ciò che saremo costretti a fare se non corriamo insieme ai ripari.

Certo, potremo sempre pensare che sono tutte balle, frutto dei soliti ecologisti menagramo che ci godono a dipingere scenari apocalittici per spaventare la gente. Quante volte avrete sentito dire: "Ha sempre fatto più caldo o più freddo di adesso. Mi ricordo un'estate di quarant'anni fa che non si respirava, son momenti, passerà". Peccato che in Inghilterra hanno già impiantato i primi filari d'uva e stanno cominciando a produrre un vino niente male mentre tra poco in Italia non serviranno più le serre per proteggere d'inverno le piante tropicali. E allora?

A tutti gli scettici consiglio una vacanza originale che pare sia molto di moda. Ce ne parla Luis Sepúlveda nel suo libro *Ritratto di gruppo con assenza* quando racconta del Grande Parco Naturale della Patagonia e dell'Antartide che dovrebbe essere patri-

monio dell'umanità intera, come tutte le grandi foreste tropicali mentre, a causa dei cambiamenti climatici, assistiamo alla
sua rovina con il continuo distacco di masse di ghiaccio sempre
più grandi. "Ora in pieno inverno australe arrivano turisti a
migliaia per veder cadere sempre più blocchi di ghiaccio, per
veder sparire i ghiacciai, insomma vengono a toccare allegramente con mano la morte di questi paesaggi. Amico mio, oggi
si paga per essere testimoni della morte del mondo."[26]

Mentre sto scrivendo queste ultime righe ho saputo che, grazie alle nuove e severe pene contro la deforestazione clandestina, per la prima volta è diminuito il taglio selvaggio degli
alberi in Amazzonia e dopo la proibizione dei policarburi
nelle bombolette spray anche il buco dell'ozono lentamente
si sta richiudendo. Vuol dire che si può sperare con sobrio
ottimismo in un cambiamento di rotta per il quale val la pena
di impegnarsi.
Nonostante le guerre, i terremoti e le nuove nuvole radioattive, ci sono immagini che aprono il cuore e ci dimostrano che
è possibile ritrovare il paradiso. La più recente e significativa
è per me il volto sorridente di Aung San Suu Kyi nel giorno
della sua liberazione: accetta i fiori che il popolo birmano le
offre come pegno di stima e amore e con grazia li sistema tra i
capelli, creando una corona da regina più preziosa di qualsiasi
diadema incastonato di diamanti.

Il grande maestro John Cage, alla domanda di un giornalista che gli chiedeva se secondo lui il mondo stesse migliorando o peggiorando, rispondeva convinto che sta sicuramente migliorando, ma così lentamente che non ce ne accorgiamo. Forse è proprio così, nel dubbio piantiamo più alberi che possiamo: in giardino, nell'orto, sul balcone, in casa di amici... Come ha detto Khalil Gibran, la civiltà ebbe inizio quando per la prima volta l'uomo scavò la terra e vi gettò un seme. Vogliamo essere proprio noi a farla finire?

## DAI DIAMANTI NON NASCE NIENTE, DAL LETAME NASCONO I FIOR

### Da Via del Campo, *Fabrizio De André*

Il titolo di questo libro è apparso un giorno dal nulla, si è imposto da solo come l'unico possibile e io non ho potuto far altro che registrare l'avvenimento. Il verso asciutto di un grande poeta è sempre un buon auspicio, una piccola stella cometa per illuminare i propri sentieri tortuosi. Ero curiosa e un po' emozionata quando ho comunicato a Dori Ghezzi la nascita di questo mio strano lavoro: sapevo della passione giardiniera sua e di Fabrizio ma non immaginavo fino a che punto Faber fosse affascinato dalla *verdure*, né tanto meno mi aspettavo il prezioso regalo che mi stava arrivando. È stato tutto un po' casuale e speciale, come le cose dettate dai sentimenti. Dori ha frugato nei suoi archivi e ha trovato queste due paginette autografe. Una piccola testimonianza intima di un De André inedito, che svela come fosse anche lui contagiato dalla magnifica ossessione. Lo schizzo di un progetto su un foglio a quadretti, un gioco dell'immaginazione che nasconde i sogni di gloria che si annidano dietro nomi di piante disposti intorno a un portico o la speranza che un disegnino si trasformi in uno scoppio di colore vicino alla cancellata. E su tutto tanto concime, in dosi precise, da vero professionista che non lasciava niente al caso.

A) ~~Per i~~ fiori (CRUCIFERE) (RIM.

FEBBRAIO 5 parti di letame maturo

camelie
azalee
rhodod. APRILE ~~2~~ parti di terriccio di bosco
~~2 parti di sabbia di fiume~~

APRILE 7 parti di pollina sciolta
3 parti di acqua

**COME COLTIVARE IL GIARDINO
L'ORTO ED IL FRUTTETO E
COME CONSERVARNE I PRODOTTI**

LUGLIO 10 parti di concime
chimico 10-10-10

B) ~~Per i tetarposei, gardenie, e
fioriture estive~~, abelie ecc.

APRILE 5 parti di letame maturo
torba
~~2~~ parti di terriccio di bosco
~~1 parte di sabbia di fiume~~

GIUGNO 7 parti di pollina sciolta
3 parti di acqua

LUGLIO 10 parti di concime
chimico 10-10-10

c) prato e piante
Novembre terriccio (4 quintali)
~~Aprile~~  } 10-10-10
Giugno  }

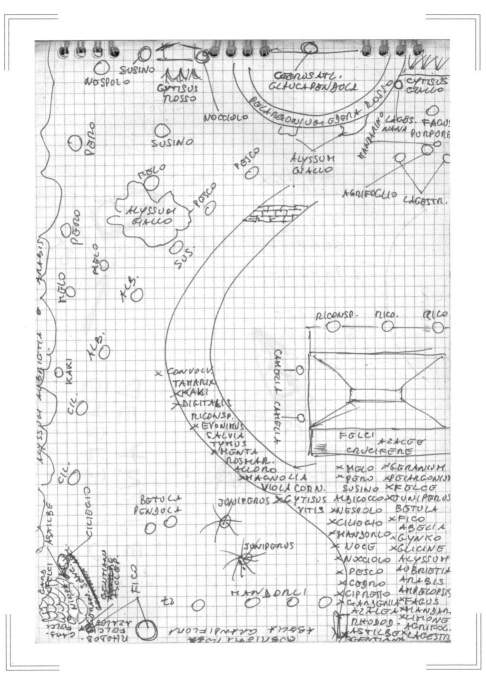

Un paradiso in Terra Dori e Fabrizio l'hanno realizzato veramente: la loro casa in Sardegna, fonte di gioie e dolori, è un luogo incantato costruito con la stessa dedizione del giardino di Monet. La lista dei desideri di tanti alberi da frutto, cespugli di alysso giallo e una elegante betulla pendula, si può vedere realizzata e rigogliosa all'Agnata, un'oasi di 150 ettari dove flora spontanea e coltivata si intrecciano come musica e parole. Nelle sue confessioni giardiniere Dori mi ha rivelato l'esistenza della camelia rosa, figlia non desiderata da lei, ma adorata da lui. Una pianta effettivamente non adatta al libeccio della Gallura che per conquistarsi l'amore di Dori e la sopravvivenza in giardino ha continuato a crescere e a fiorire come fosse nel parco di Versailles. Fabrizio De André non era quello che si può definire un "contadino nato" ma, come racconta Dori, la natura era così commossa dalla sua buona volontà che lo ha premiato facendo fiorire tutti i semi che importava dall'Olanda o invitando le mucche a partorire di notte, a orari più consoni a un musicista che tirava tardi. Persino il gallo non cantava mai prima di mezzogiorno, anche lui era rock, non a caso si chiamava Vasco. Grazie a queste concessioni speciali la fattoria e il giardino sono diventati un paradiso in Terra, ricco di quelli che Dori chiama i frutti della sua presunta utopia.

Questo libro non poteva che finire così, un diamante sarà pure per sempre ma anche un giardino non scherza, basta ricordarsi di concimare con le giuste dosi, come Fabrizio ci consiglia nei suoi preziosi appunti.

# GRAZIE

\* \* \* \* \*

a Ivan, "ghost editor" di lusso e vero amico;

a Orsetta e Maura, le mie "ragazze": senza di loro la vita sarebbe un giardino
senza fiori, grazie per avermi supportato e sopportato;

a Eleonora, Giò e Canna, severe lettrici e indispensabili complici
(*Sex and the City* vi fa un baffo);

a Simo, che ha editato e condiviso con la sua eterna grazia;

a Saveria e Ferdinando, alle nostre estati alla Cerretana;

ad Andrea "Sal" per il sottotitolo;

a Igor, l'unico vero intellettuale ancora in circolazione;

a Dario per le rivelazioni su De André giardiniere;

allo spirito del camerino e alla sua influenza positiva:
un grazie in particolare ad Alberto, maestro di chiffon e di rubrica;

a Rocco Botanica per gli asterischi dispari,
purtroppo per gli a capo non ho potuto fare nulla;

a Jorma augurandogli giardini paradisiaci;

a Mau per le "affinità" vegetali;

a "Rolling Stone" e al suo direttore che hanno acceso la miccia;

a Luca e Marco e al pranzo galeotto;

ad Angela, la mia editor ideale perché è riuscita a far entrare
una kentia in una Seicento;

al Dream team: Davide Bonsai, Chiara Gardenia, Andrea Geranio,
Marina Bouganville, Francesca Glicine;

a Irma, in arte "Kiki", per il prezioso lavoro con le sue forbici dorate;

a Olgo Paternò, lui sa perché. Idda forever;

a Riccardo e Silvio, giardinieri sul serio;

a Valerio, per la felicità "sostenibile";

a Maria Teresa, la mia baby sitter, per la sua inesauribile pazienza,
basta che non pianga;

a Uma e Nina, malgrado tutte le piante che mi hanno distrutto;

a Montone e alla sua terra argillosa;

a Marittima per la sua terra rossa;

al Salento e a tutti i suoi abitanti, compresi lu sule, lu mare e lu ientu;
un particolare grazie alla comitiva per la "joie de vivre".

# NOTE

\* \* \* \* \*

## INTRODUZIONE

1 Gilles Clément, *Manifesto del Terzo paesaggio*, Quodlibet, Macerata 2005.
2 Si veda in Cicerone, *Lettere ai familiari*, vol. 2, BUR, Milano 2007.
3 Voltaire, *Candido*, Einaudi, Torino 2006, p. 123.
4 Fëdor Dostoevskij, *L'idiota*, Feltrinelli, Milano 2005.
5 *Via del campo*, in *Volume I*, Fabrizio De André, 1967.

# 1

## NESSUNO È PERFETTO

1 Hermann Hesse citato in Carola Lodari, *Che cos'è il giardino? 550 definizioni d'un piacere senza tempo*, Allemandi & C., Torino 2000, p. 17.
2 John Milton, *Paradiso perduto*, Mondadori, Milano 1990, libro IV, p. 159.
3 Si veda Robert P. Harrison, *Giardini. Riflessioni sulla condizione umana*, Fazi, Roma 2009, capitolo 2, pp. 16-26.
4 *Bianca* (Nanni Moretti, 1984).

5 Di Hermann Hesse: *Il gioco delle perle di vetro*, Mondadori, Milano 2000; *Siddharta*, Adelphi, Milano 1991.
6 Si veda la galleria fotografica della Fondazione Hesse di Montagnola, www.hessemontagnola.ch.
7 Da una lettera di Hesse a Karl Isenberg, aprile 1934.
8 Robin Lane Fox, *Dig for therapy*, "Financial Time", 5 novembre 2010.
9 *Apocalypse Now* (Francis Ford Coppola, 1979).
10 Come parafrasato da Gian Enrico Manzoni nell'articolo *All'ombra dei giardini di Babilonia*, "Giornale di Brescia", 3 luglio 2002.
11 *Alexander* (Oliver Stone, 2004).
12 Si veda l'articolo di Eugenia Salza Prina Ricotti, *I giardini assiro-babilonesi*, www.espr-archeologia.it.
13 Si veda Vita Sackville-West, *In Your Garden Again*, Oxenwood Press, London 1998.
14 Si veda www.vivaibambu.com.
15 Si veda www.latour-marliac.com.
16 Ivi.
17 Si veda il sito Comité des parcs et jardins de France, www.parcsetjardins.fr.
18 Johann W. Goethe, *Le affinità elettive*, BUR, Milano 2006.
19 *Lotus Flower*, in *The King of Limbs*, Radiohead, 2011.
20 www.bahaihouseofworship.in.
21 www.vivaibambu.com.
22 www.etabeta-ninfee.it.
23 Ivan Cotroneo, *Cronaca di un disamore*, Bompiani, Milano 2005.
24 Carlo Cappelletti, *Botanica*, vol. 1, UTET, Torino 1959.

## 2

### I LUOGHI DELLA TERRA

1  *Via col vento* (Victor Fleming, 1939).
2  Alain Baraton, *Je plante donc je suis: chroniques bucoliques*, Grasset et Fasquelle, Paris 2010.
3  Gilles Clément, *Manifesto del Terzo paesaggio*, Quodlibet, Macerata 2005.
4  Emmanuel-Joseph Sieyès, *Che cosa è il Terzo stato?*, Editori Riuniti, Roma 1992.
5  Gilles Clément, *Il giardiniere planetario*, 22Publishing, Milano 2008, p. 55.
6  Umberto Pasti, *Giardini e no. Manuale di resistenza botanica*, Bompiani, Milano 2010, p. 89.
7  Ivi.
8  Ilvo Diamanti, *Sillabario dei tempi tristi*, Feltrinelli, Milano 2009, p. 121.
9  www.giardinaggioirregolare.wordpress.com.
10 www.slowfood.it.
11 Jean-Jacques Rousseau, *Discorsi sulle scienze e sulle arti, sull'origine della disuguaglianza*, BUR, Milano 1997, p. 132.
12 Si veda *Totòtruffa '62* (Camillo Mastrocinque, 1961).
13 Si veda www.terramadre.info.
14 www.navdanya.org/earth-university.
15 Marcel Proust, *Alla ricerca del tempo perduto*, BUR, Milano 2006.
16 Amy Stewart, *Flower Confidential: The Good, the Bad, and the Beautiful in the Business of Flowers*, Algonquin Books, Chapel Hill 2007.
17 Si veda Lidia Zitara, *Giardiniere per diletto. Contributo a una cul-*

*tura irregolare del giardinaggio*, Pengragon, Bologna 2009.
18 Michele Trasi e Andrea Zabiello, *Guerrilla gardening. Manuale di giardinaggio e resistenza contro il degrado urbano*, Kowalski, Milano 2009.
19 *Proposta*, Giganti, 1967.
20 Si veda Maria Brambilla, *Giardini in verticale*, "Gardenia", dicembre 2001.
21 Patrick Blanc, *Il bello di essere pianta*, Bollati Boringhieri, Torino 2008.
22 *Ibid.*, p. 50.
23 Irina Konstantinova e Umberto Vitiello (a cura di), *Consigli e istruzioni del giardiniere di corte di Caterina la Grande*, Sellerio, Palermo 2003, p. 21.

## 3

### LO SGUARDO

1  Citazione di Conrad in Dino Risi, *I miei mostri*, Mondadori, Milano 2004.
2  Alain Baraton, *Je plante donc je suis*, Grasset, Paris 2010.
3  *Fino alla fine del mondo* (Wim Wenders, 1991).
4  José Saramago, *Cecità*, Feltrinelli, Milano 2010.
5  Marco Polo lo racconta nel *Milione*.
6  Henry D. Thoreau, *Walden ovvero vita nei boschi*, BUR, Milano 1988, p. 152.
7  Si veda Alessandro Mezzena, *Libereso Guglielmi: Il giardiniere che suggeriva storie a Calvino*, "Il Piccolo", 23 aprile 2008.

8 Ivi.

9 Giuliana Zoppis, *Io e Calvino in giardino*, "DCasa", 26 maggio 2007.

10 Ivi.

11 Italo Calvino, *Il barone rampante*, Einaudi, Torino 1981.

12 Paolo Cottini, *Il giardiniere col fiore in bocca: Libereso Guglielmi, un umanista che vive per le piante*, "Giardini", aprile 2003.

13 Libereso Guglielmi, *Libereso, il giardiniere di Calvino. Da un incontro di Libereso Guglielmi con Ippolito Pizzetti*, Gruppo Editoriale Muzzio, Roma 2009.

14 Giuliana Zoppis, *Io e Calvino in giardino*, cit.

15 Claudio Porchia (a cura di), *Oltre il giardino. Le ricette di Libereso Guglielmi*, Socialmente, Granarolo dell'Emilia 2009.

16 Amy Stewart, *Wicked Plants: The Weed That Killed Lincoln's Mother and Other Botanical Atrocities*, Algonquin Books, Chapel Hill 2009.

17 William Shakespeare, *Romeo e Giulietta*, atto V, scena III.

18 www.alnwickgarden.com.

19 www.tropicamente.it.

20 Milan Kundera, *La lentezza*, Adelphi, Milano 1999, p. 11.

# 4

## LA PAZIENZA GIARDINIERA

1 Paolo Cottini, *Il giardiniere col fiore in bocca: Libereso Guglielmi, un umanista che vive per le piante*, "Giardini", aprile 2003.

2 Paolo Pejrone, *La pazienza del giardiniere. Storie di ordinari disordini e variopinte strategie*, Einaudi, Torino 2009.

3 Milan Kundera, *La lentezza*, Adelphi, Milano 1999, p. 10.

4 Frase celebre del mitico Quelo al *Pippo Chennedy Show*.

5 Emily Dickinson, *Tutte le poesie*, Mondadori, Milano 2005, p. 1379.

6 Marta McDowell, *Emily Dickinson's Gardens. A Celebration of a Poet and Gardener*, McGraw-Hill, New York 2004.

7 *Ibid*.

8 Da *Oltre il giardino* (Hal Ashby, 1979).

9 *Ibid*.

10 Robert P. Harrison, *Giardini. Riflessioni sulla condizione umana*, Fazi, Roma 2009, p. 39.

# 5

## LA CURA

1 *La cura*, in *L'imboscata*, Franco Battiato, 1996.

2 Nelson Mandela, *Lungo cammino verso la libertà. Autobiografia*, Feltrinelli, Milano 1997.

3 www.alcatrazgardens.org.

4 www.parksconservancy.org.

5 www.alcatrazgardens.org.

6 Delfina Rattazzi, *Storie di insospettabili giardinieri*, Cairo Publishing, Milano 2008.

7 www.cascinabollate.org.

8 Delfina Rattazzi, *Storie di insospettabili giardinieri*, cit., p. 87.

9 Dalla prima pagina del "Corriere Lombardo", 8 agosto 1945.

10 Per approfondimenti si veda Delphine Hirasuna, *The Art of Gaman: Arts and Crafts from the Japanese American Internment Camps*, Ten Speed Press, Berkeley 2005.

11 http://kakitreeproject.com/eng/.

12 Messaggio del dottor Ebinuma alla comunità di Casciago per il decennale del trapianto del primo albero di cachi, si veda sul sito www.artevarese.com.

13 *Il giardiniere* in *Il giardiniere*, Niccolò Fabi, 1997.

14 Per approfondimenti si veda Charles Darwin, *L'origine delle specie*, BUR, Milano 2008.

15 Johann W. Goethe, *Gingo Biloba* in *Tutte le poesie*, vol. 3, Mondadori, Milano 1997, p. 221.

16 Maurizio Maggiani, *Il mio ulivo sul balcone sognando tempi migliori*, "Il Secolo XIX", 20 gennaio 2003.

17 *Ibid.*

18 Pia Pera, *Giardino & orto terapia. Coltivando la terra si coltiva anche la felicità*, Salani, Milano 2010, p. 9.

19 Germaine Greer, *L'eunuco femmina*, Mondadori, Milano 1999.

# 6

## I COLORI

1 Lewis Carroll, *Le avventure di Alice nel paese delle meraviglie e Al di là dello specchio*, Einaudi, Torino 2003, pp. 75-76.

2 Umberto Pasti, *Giardini e no. Manuale di sopravvivenza botanica*, Bompiani, Milano 2010, p. 64.

3 www.nationaltrust.org.uk.

4 Vita Sackville-West, *In Your Garden Again*, Oxenwood Press, London 1998.

5 Citato in Quentin Bell, *Virginia Woolf*, Garzanti, Milano 1979, pp. 385-386.

6 *Orlando* (Sally Potter, 1992).

7 Virginia Woolf, *Orlando*, BUR, Milano 1999.

8 Si veda l'articolo di Alessio Altichieri, *Il figlio di Vita Sackville-West: mia madre amò Virginia Woolf*, "Il Corriere della Sera", 21 agosto 2000.

9 Alda Merini, *La presenza di Orfeo/La Terra Santa*, Scheiwiller, Milano 2005.

10 Carola Lodari, *Che cos'è il giardino?*, Allemandi & C., Torino 2000, p. 145.

11 Si veda l'articolo di Delfina Rattazzi, *Monet giardiniere*, "Il Sole 24 Ore", 26 aprile 2009.

12 Gertrude Jekyll, *Il giardino dei colori*, Centro botanico, Milano 1987.

13 Michael Doran, *Cézanne*, Donzelli, Bologna 1998, p. 125.

14 Vasilij V. Kandinskij, *Lo spirituale nell'arte*, SE editrice, Milano 2005.

15 *Ibid.*

16 www.myamazighen.wordpress.com/marrakech/jardin-majorelle.

17 Johann W. Goethe, *Teoria dei colori*, il Saggiatore, Milano 2010.

18 Virginia Woolf, *La signora Dalloway*, Feltrinelli, Milano 2003, pp. 1 e 10.

19 Si veda l'articolo di Paola Galaverni, *Settembre: il giardino dei colori*, www.pianetadonna.it, 28 settembre 2004.

20 Derek Jarman, *Chroma*, Ubulibri, Milano 1995, p. 57.
21 www.pbortensie.com.

# 7

## DIMMI CHE GIARDINO FAI E TI DIRÒ CHI SEI

1 Voltaire, *Dizionario filosofico*, BUR, Milano 2000, p. 93.
2 Citato in Carola Lodari, *Che cos'è il giardino? 550 definizioni d'un piacere senza tempo*, Umberto Allemandi & C., Torino 2000, p. 19.
3 Umberto Eco, *Storia della bellezza*, Bompiani, Milano 2004.
4 David Hume, *Saggi e trattati morali, letterari, politici e economici*, UTET, Torino 1974.
5 Fernando Pessoa, *Il custode delle greggi*, Passigli, Bagno a Ripoli 2007, p. 53 (XXXIII, vv. 1-2).
6 *All Things Must Pass*, George Harrison, 1970.
7 George Harrison, *I, me, mine*, Rizzoli, Milano 2002.
8 www3.hants.gov.uk/hilliergardens.
9 www.rhs.org.uk/Shows-Events/RHS-Chelsea-Flower-Show/2011.
10 Si veda l'articolo di Dan Pearson, *Magical Mystery Tour: Friar Park*, "The Observer", 17 agosto 2008.
11 Ivi.
12 *Octopus's Garden*, in *Abbey Road*, Beatles, 1969.
13 *I Diavoli* (Ken Russell, 1971).
14 Derek Jarman, *Derek Jarman's Garden*, Thames and Hudson, New York 1996.
15 *Ibid.*
16 T.S. Eliot, *La terra desolata,* BUR, Milano 1985, p. 75.
17 Jean de La Fontaine, *Le songe de Vaux*, Droz, Génève 1967.
18 Re Luigi XIV, *La manière de montrer les jardins des Versailles*, a cura di Charles Perrault, Allen S. Weiss, Le petit Mercure, Paris 1967.

# 8

## EDWARD MANI DI FORBICE E L'ARTE TOPIARIA

1 Friedrich Nietzsche, *Ecce homo*, Adelphi, Milano 2006.
2 Da un'intervista: www.atiliopentimalli.blogspot.com.
3 *Edward mani di forbice* (Tim Burton, 1990).
4 Walt Whitman, *Foglie d'erba*, BUR, Milano 2010, p. 235 (in *Canto di me stesso* – 51, vv. 1324-1326).
5 Ramon Chao e Ignacio Ramonet, *Guida alla Parigi ribelle*, Voland, Roma 2010, p. 35.
6 *Ibid.*, p. 35.
7 Eugenio Scalfari, *Per l'alto mare aperto*, Einaudi, Torino 2010.
8 www.villadigeggiano.com.
9 www.comune.poggio-a-caiano.po.it.
10 AA.VV., *Le dimore di Lucca: l'arte di abitare i palazzi di una capitale dal Medioevo allo Stato unitario,* Allinea editrice, Firenze 2007, p. 195.
11 Si veda *Grandi giardini italiani. Le guide di Gardenia*, Giorgio Mondadori, Milano 2007.

12 Paolo Santarcangeli, *Il libro dei labirinti,* Frassinelli, Milano 2005 (nell'introduzione di U. Eco).
13 Umberto Eco, *Il nome della rosa,* Bompiani, Milano 2007.
14 *Tanta voglia di lei,* Pooh, 1971.
15 Torquato Tasso, *Gerusalemme liberata,* BUR, Milano 2010, cap. XVI, 15, p. 970.
16 Gabriele D'Annunzio, *Fuoco,* Mondadori, Milano 1949.
17 www.dole-plantation.com.
18 Si veda l'articolo di Alessandro Gandolfi, *Il labirinto culturale di Franco Maria Ricci. Tre km di gallerie vegetali alte cinque metri,* "La Repubblica di Parma", 4 giugno 2010.
19 www.bambouseraie.com.
20 Alessandro Gandolfi, *Il labirinto culturale di Franco Maria Ricci,* cit.
21 Ivi.
22 *Shining* (Stanley Kubrick, 1980).
23 Umberto Eco, *Il nome della rosa,* cit.
24 Jorge Luis Borges, *L'Aleph,* Adelphi, Milano 1998.

# 9

## I CACCIATORI DI PIANTE

1 Citato in Andrea Wulf, *The Brother Gardeners,* Alfred A. Knopf, New York 2009.
2 *Ibid.*
3 Susan Sontag, *L'amante del vulcano,* Mondadori, Milano 1997.
4 Per approfondire www.dust.it/articolo-diario/bamby-e-i-b-52.
5 Alexandre Dumas (figlio), *La signora delle camelie,* BUR, Milano 2002.

6 Dante Alighieri, *La Divina Commedia,* BUR, Milano 2007, p. 179 (Canto XXVI, vv. 119-120).
7 *Gli ammutinati del Bounty* (Lewis Milestone, 1962).
8 Charles Darwin, *L'origine della specie,* Rizzoli, Milano 2009.
9 Viviano Domenici, *Altri naufragi. Storie d'amore e d'avventura,* De Agostini, Novara 2010.
10 *Ibid.*
11 *Ibid.*
12 Giorgio Celli, *Le piante non sono angeli,* B.C. Dalai Editore, Milano 2010, p. 43.
13 Ivi.
14 www.lecameliedelgenerale.it.

# 10

## MADAMINA, IL CATALOGO È QUESTO

1 Libera rilettura di "Madamina, il catalogo è questo", dal *Don Givanni* di Mozart.
2 Mike Dash, *La febbre dei tulipani. La prima grande crisi economica della storia,* BUR, Milano 2009.
3 Alexandre Dumas, *Il tulipano nero,* Sellerio, Palermo 2008.
4 www.lacasinadilorenzo.com.
5 *La piccola bottega degli orrori* (Frank Oz, 1986).
6 www.centrobotanicomoutan.it.

# 11

## LE ROSE

1 Poeta e mistico persiano della confraternita sufi dei dervisci rotanti.
2 Francis S. Fitzgerald, *Il grande Gatsby*, Feltrinelli, Milano 2011, p. 68.
3 Antonio Tabucchi, *Viaggi e altri viaggi*, Feltrinelli, Milano 2010.
4 *Ibid.*
5 Antonio Tabucchi, *Sostiene Pereira. Una testimonianza*, Feltrinelli, Milano 2010.
6 www.parcsafabriques.org.
7 Louise Elisabeth Vigée-Le Brun, *Viaggio di una donna artista: i Souvenirs di Elisabeth Vigee Le Brun, 1789-1792*, Electa, Milano 2004, p. 16.
8 *Marie Antoniette* (Sofia Coppola, 2006).
9 Jean Renoir, *Renoir mio padre*, Garzanti, Milano 1995.
10 *Ibid.*
11 *Ibid.*
12 Sarah M. Lowe (a cura di), *Il diario di Frida Kahlo: un autoritratto intimo*, Leonardo, Milano 1995.
13 *Ibid.*
14 *Ibid.*
15 *Ibid.*
16 Honoré de Balzac, *Papà Goriot*, BUR, Milano 2006, p. 19.
17 Si veda www.bonjourparis.com.
18 Ivi.
19 Ivi.
20 Vicky Ducrot, *Un giardino per le rose*, Viaggi dell'Elefante Editore, Roma 2001.
21 Michael Cunningham, *Al limite della notte*, Bompiani, Milano 2010.
22 Samuel R. Hole, *A Book About Roses: How to Grow and Show Them. With an Additional Chapter and Lists of Roses by Dr. A.H. Williams*, Edward Arnold, London 1911.
23 Fëdor Dostoevskij, *L'idiota*, Feltrinelli, Milano 2005, p. 478.
24 www.fondazionecaetani.org.
25 Giuppi Pietromarchi e Marella Caracciolo, *Il giardino di Ninfa*, Allemandi & C., Torino 2004.
26 Henry James, *Ritratto di signora*, BUR, Milano 2006.

# 12

## IL PARADISO RITROVATO

1 Scrittore di fantascienza e scienziato, sceneggiatore di *2001: Odissea nello spazio* di Stanley Kubrick.
2 *Rebecca, la prima moglie* (Alfred Hitchcock,1940) e *Gli uccelli* (Alfred Hitchcock,1963).
3 www.heligan.com.
4 Si veda l'articolo di Enrico Franceschini, *I giardini perduti della Cornovaglia*, "La Repubblica", 19 giugno 2005.
5 Tim Smit, *The Lost Gardens of Heligan*, Orion, London 2000.
6 Enrico Franceschini, *I giardini perduti della Cornovaglia*, cit.
7 www.edenproject.com.
8 Si veda sul sito www.bbc.co.uk.

9 Giuseppe Barbera, *Abbracciare gli alberi: mille buone ragioni per piantarli e difenderli*, Mondadori, Milano 2009.

10 Hill Julia Butterfly, *La ragazza sull'albero*, Corbaccio, Milano 2000.

11 *Parco Sempione*, in *Studentessi*, Elio e le storie tese, 2008.

12 Salvatore Settis, *Paesaggio Costituzione cemento. La battaglia per l'ambiente contro il degrado civile*, Einaudi, Torino 2010.

13 www.kew.org.

14 Si veda Robert P. Harrison, *Giardini. Riflessioni sulla condizione umana*, Fazi, Roma 2009.

15 Si veda sul sito www.businesspeople.it.

16 Robert Kennedy, discorso del 18 marzo 1968 alla Kansas University.

17 Andrea Segrè, *Lezioni di ecostile. Consumare, crescere, vivere.* Bruno Mondadori, Milano 2010.

18 Maurizio Pallante, *La decrescita felice. La qualità della vita non dipende dal PIL*, Editori Riuniti, Roma 2009.

19 *Ibid.*

20 Serge Latouche, *Manifesto del doposviluppo*, www.decrescita.it.

21 www.lastminutemarket.it.

22 Michele Weiss, *Quanta vita sui tetti a Parigi*, "Il Sole 24 Ore", 15 ottobre 2010.

23 www.terramadre.info.

24 Attribuita a Mahatma Gandhi.

25 Jeremy Rifkin, *La civiltà dell'empatia. La corsa verso la coscienza globale nel mondo in crisi*, Mondadori, Milano 2010.

26 Luis Sepúlveda, *Ritratto di gruppo con assenza*, Guanda, Parma 2010.

## GUIDA AI LUOGHI

\* \* \* \* \*

### ALBERO DI CACHI DI NAGASAKI
### P. 114

Chiesa di San Giovanni, Via Sant'Agostino,
21020 Casciago (Va)
www.ortidipace.org

### ALCATRAZ NATIONAL PARK (USA)
### PP. 109-110

Alcatraz Island, San Francisco, CA 94199
001 4159817625
Aperto tutti i giorni, eccetto giorno del
Ringraziamento, Natale e Capodanno,
dalle 9.30. Ingresso gratuito.
www.alcatrazgardens.org

### ALNWICK GARDEN (REGNO UNITO)
### P. 84

Alnwick Castle, Alnwick, Northumberland NE66 1NQ
Da aprile a ottobre, aperto tutti i giorni
dalle 10 alle 18; da ottobre a marzo, aperto tutti i giorni, eccetto lunedì, dalle 11
alle 15. Il giardino dei veleni è aperto solo
durante la stagione estiva. Ingresso libero.
www.alnwickgarden.com

### BIJA VIDYAPEETH (INDIA) P. 50

Earth University
A-60 Hauz Khas, 110 016 New Delhi
www.navdanya.org/earth-university

### BROOKLYN BOTANIC GARDEN
### (USA) P. 233

900 Washington Avenue, Brooklyn, NY 11225
Aperto tutti i giorni, eccetto lunedì e festivi.
www.bbg.org

### CASA AZUL, si veda MUSEO FRIDA KAHLO

### CASA SCHEFFER (FRANCIA)
si veda MUSÉE DE LA VIE ROMANTIQUE

### CATHÉDRALE DE CHARTRES
### (FRANCIA) P. 186

Place de la Cathédrale, 28000 Chartres
Aperto tutti i giorni dalle 8.30 alle 19.30.
0033 (0)2.37217502
www.chartres-tourisme.com

### CENTRO BOTANICO MOUTAN
### PP. 234-236

S.S. Ortana 46, 01030 Vitorchiano (Vt)
Da giugno a marzo, aperto dal lunedì al
venerdì; da aprile a maggio, aperto tutti
i giorni. Durante i mesi della fioritura
(aprile e maggio) è possibile visitare gratu-
itamente il giardino delle peonie. Vendita
per corrispondenza.
0761.300490
www.centrobotanicomoutan.it

### CHÂTEAU DE VAUX-LE-VICOMTE
### (FRANCIA) PP. 168-170

Vaux-le-Vicomte, 75007 Maincy
Aperto dal 19 marzo al 13 novembre, tutti
i giorni dalle 10 alle 18.
0033 (0)1.64144190
www.vaux-le-vicomte.com

### CHÂTEAU DE VERSAILLES (FRANCIA)
### PP. 39, 85, 168-171, 179, 225, 244-247, 275

Place d'Armes, 78000 Versailles
Da aprile a ottobre, parco e giardini aperti
tutti i giorni dalle 7 alle 20.30; da novembre a marzo, tutti i giorni dalle 8 alle 18.
www.chateauversailles.fr

**CIMETIÈRE DU PÈRE-LACHAISE (FRANCIA) P. 259**

Boulevard de Ménilmontant 8, 75020 Paris
0033 (0)1.55258210

**DOMAINE DE COURSON (FRANCIA) P. 116**

91680 Courson-Monteloup (Essonne)
Parco aperto solo domeniche e festivi, eccetto Natale e Capodanno, dalle 10 alle 18 (inverno chiusura ore 17). Castello aperto dal 15 marzo al 15 novembre, solo domeniche e festivi dalle 14 alle 17.
0033 (0)1.64589012
www.domaine-de-courson.fr

**EARTH UNIVERSITY si veda BIJA VIDYAPEETH**

**EDEN PROJECT (REGNO UNITO) PP. 285-286**

Bodelva, Cornwall, PL24 2SG
Aperto tutti i giorni, eccetto 24 dicembre e Natale, dalle 9 alle 18. L'orario di chiusura può variare.
0044 (0)1726811911
www.edenproject.com

**GIARDINO D'ESTATE E PALAZZO MUSEO DI PIETRO I (RUSSIA) P. 267**

Letny Sad, Kutuzova Emb. 2, 191041 Sankt-Peterburg
Chiuso per ristrutturazione fino al 2012.
007 8125954248
www.rusmuseum.ru

**GIARDINO DI NINFA PP. 273-278, 284**

Via provinciale Ninfina 68, 04012 Cisterna di Latina (Lt)
Aperto al pubblico solo in alcune date stabilite ed esclusivamente con visita guidata.
www.fondazionecaetani.org

**GIARDINI DI SUZHOU (CINA) PP. 72-73**

Gongyuan Road 255, 215006 Suzhou, Jiangsu
www.ylj.suzhou.gov.cn/English/index.asp

**GIARDINO VERTICALE DI PATRICK BLANC si veda MUSÉE DU QUAI BRANLY (FRANCIA)**

**HELIGAN GARDENS (REGNO UNITO) PP. 282-285**

The Lost Gardens of Heligan, Pentewan, St. Austell, Cornwall PL26 6EN
Aperto tutti i giorni, eccetto 24 dicembre e Natale, dalle 10 alle 18 (dal 1° ottobre al 31 marzo chiusura ore 17).
0044 (0)1726845100
www.heligan.com

**HILLIER GARDENS AND ARBORETUM (REGNO UNITO) P. 160**

Jermyns Lane, Ampfield, Romsey SO51 0QA
Aperto tutti i giorni, eccetto Natale e Santo Stefano, dalle 10 alle 18 (dal 1° novembre al 26 marzo chiusura ore 17).
0044 (0)1794369318
www.hants.gov.uk/hilliergardens

**JARDIN BOTANIQUE ET PÉPINÌERE LATOUR-MARLIAC (FRANCIA) PP. 28-29**

Le Bourg, 47110 Le Temple sur Lot
Aperto da maggio a ottobre, tutti i giorni, eccetto lunedì, dalle 10 alle 18. Vendita per corrispondenza.
0033 (0)5.53010805
www.latour-marliac.com

**JARDIN DES PLANTES (FRANCIA) P. 12**

Rue Cuvier 57, 75005 Paris
Aperto tutti i giorni dalle 7.30 alle 19.45.
0033 (0)1.40795601

### JARDIN DES TUILERIES (FRANCIA)
### PP. 26, 168

Ingressi: Place de la Concorde, Rue de Rivoli, Quai des Tuileries, Avenue du Général Lemonnier, Passerelle Solférino, 75001 Paris
Durante la stagione invernale, aperto tutti i giorni dalle 7.30 alle 19.30; durante la stagione estiva, aperto tutti i giorni dalle 7 alle 21.
www.louvre.fr

### JARDIN DU PALAIS ROYAL (FRANCIA)
### PP. 177-179

Place Colette 2, 75001 Paris
Da giugno ad agosto, aperto tutti i giorni dalle 7 alle 23; in settembre, aperto tutti i giorni dalle 7 alle 21; da ottobre a marzo, aperto tutti i giorni dalle 7.30 alle 20.30.

### JARDIN MAJORELLE (MAROCCO)
### PP. 146-147

Rue Al Madina, Marrakech
Aperto tutti i giorni dalle 8 alle 18 (da ottobre ad aprile chiusura ore 17).
00212 (0)524313047
www.jardinmajorelle.com

### JAS DE BOUFFAN (FRANCIA)
### P. 143

Bastide du Jas de Bouffan, Route De Galice, 13090 Aix en Provence
Solo visite guidate. Per gli orari di apertura si rimanda al sito internet.
www.aixenprovencetourism.com

### KEW GARDENS (REGNO UNITO)
### PP. 233, 290

Royal Botanic Gardens, Kew, Richmond, Surrey TW9 3AB
Aperto tutti i giorni, eccetto 24 dicembre e Natale, dalle 9.30.
0044 (0)2083325655
www.kew.org

### L'AGNATA DI DE ANDRÉ
### P. 307

Agriturismo – Località Agnata, 07029 Tempio Pausania (Ot)
079.634122
http://www.agnata.it

### LA BAMBOUSERAIE (FRANCIA)
### P. 190

Domaine de Prafrance, 30140 Générargues
Aperto dal 1° marzo al 15 novembre, tutti i giorni dalle 9.30 alle 19.
0033 (0)4.66617047
www.bambouseraie.com

### LABIRINTO DI FRANCO MARIA RICCI
### P. 189

In fase di costruzione a Fontanellato (Pr).

### LA MORTELLA E FONDAZIONE
### WILLIAM WALTON
### PP. 227-230

Via Francesco Calise 39, 80075 Forio di Ischia (Na)
Aperto da aprile a ottobre, martedì, giovedì, sabato e domenica dalle 9 alle 19.
081.986220
www.lamortella.org

### LOTUS TEMPLE (INDIA)
### PP. 31-32

The Bahá'í House of Worship, New Delhi
Aperto tutti i giorni, eccetto lunedì, dalle 9 alle 19 (dal 1° ottobre al 31 marzo chiusura ore 18).
www.bahaihouseofworship.in

### MAISON ET JARDINS DE CLAUDE
### MONET (FRANCIA) PP. 27, 250

Rue Claude Monet 84, 27620 Giverny
Aperto dal 1° aprile al 1° novembre, tutti i giorni dalle 9.30 alle 18.
www.fondation-monet.fr

## Monk's House (Regno Unito)
### pp. 139-140

Rodmell, Lewes, East Sussex BN7 3HF
Aperto dal 2 aprile al 29 ottobre, mercoledì
e sabato dalle 14 alle 17.30.
0044 (0)1323870001
www.nationaltrust.org.uk

## Musée de l'Orangerie (Francia)
### pp. 26, 29

Jardin des Tuileries, 75001 Paris
Aperto tutti i giorni, eccetto martedì,
1° maggio e Natale, dalle 9 alle 18.
0033 (0)1.44778007
www.musee-orangerie.fr

## Musée de la vie Romantique (Francia) pp. 9, 255, 258

Rue Chaptal 16, 75009 Paris
Aperto tutti i giorni, eccetto lunedì e festivi, dalle 10 alle 18. Visita gratuita alle
esposizioni permanenti.
0033 (0)1.55319567

## Musée du Quai Branly e giardino verticale di Patrick Blanc (Francia) p. 58

Quai Branly 37, 75007 Paris
Aperto tutti i giorni, eccetto lunedì, dalle 11 alle
19 (giovedì, venerdì e sabato chiusura ore 21).
0033 (0)1.56617150

## Musée national du château de Malmaison (Francia)
### pp. 262-267

Avenue du château de Malmaison, 92500
Rueil-Malmaison
Da aprile a settembre, aperto tutti i giorni,
eccetto martedì, dalle 10 alle 12.30 e dalle
13.30 alle 17.45 (sabato e domenica chiusura ore 18.30); da ottobre a marzo, aperto
tutti i giorni, eccetto martedì, dalle 10 alle
12.30 e dalle 13.30 alle 17.15 (sabato e domenica chiusura ore 17.45).
0033 (0)1.41290555
www.chateau-malmaison.fr

## Musée Renoir (Francia)
### p. 251

Le domaine des Collettes, Chemin des
Collettes, 06800 Cagnes-sur-Mer
Aperto tutti i giorni, eccetto sabato, dalle
10 alle 12 e dalle 14 alle18 (da novembre
ad aprile chiusura ore 17).
0033 (0)4.93206107
www.cotedazur-tourisme.com

## Museo Frida Kahlo, Casa Azul (Messico) p. 254

Londres 247, Col. del Carmen, 04000
Coyoacán
Aperto tutti i giorni, eccetto lunedì e festivi, dalle 10 alle 17.45.
0052 55.55545999
www.museofridakahlo.org

## Orto botanico "Giardino dei Semplici" p. 233

Pier Antonio Micheli 3, 50121 Firenze
Aperto tutti i giorni, eccetto mercoledì e festivi, dalle 9 alle 13 (sabato chiusura ore 17).
055.2757402
www.firenzeturismo.it

## Parc André Citroën (Francia)
### p. 43

Quai André Citroën, 75015 Paris
Parco pubblico aperto tutti i giorni.

## Parc de Bagatelle (Francia)
### pp. 243-245

Ingressi: Allée de Longchamp, Route
de Sèvres à Neuilly, Bois de Boulogne,
75016 Paris
Giardino botanico della città di Parigi
aperto tutti i giorni.
0033 (0)1.53645380

PETIT TRIANON (FRANCIA)
si veda CHÂTEAU DE VERSAILLES

PINEAPPLE GARDEN MAZE
(HAWAII) P. 189

Dole Plantation, 64-1550 Kamehameha
Hwy., 96786 Wahiawa
Aperto tutti i giorni, eccetto Natale, dalle
9.30 alle 17.
www.dole-plantation.com

POISON GARDEN (GIARDINO DEI
VELENI) si veda ALNWICK GARDEN

REGGIA DI CASERTA
P. 196

Viale Giulio Douhet 2a, 81100 Caserta
Aperto tutti i giorni, eccetto martedì, dalle 8.30 alle 19.30. L'orario di chiusura del
parco e del giardino all'inglese varia di mese
in mese: novembre, dicembre, gennaio e
febbraio ore 14.30; marzo ore 16; aprile ore
17; maggio e settembre ore 17.30; giugno,
luglio e agosto ore 18; ottobre ore 16.30.
08.23448084
www.reggiadicaserta.beniculturali.it

SISSINGHURST CASTLE
(REGNO UNITO) PP. 136-139, 148

Biddenden Road, Cranbrook, Kent
TN17 2AB
Aperto tutti i giorni. I giardini sono aperti
dal 12 marzo al 30 ottobre, da venerdì a
martedì dalle 10.30 alle 17.
0044 (0)1.580710701
www.nationaltrust.org.uk

VILLA DI GEGGIANO
P. 180

Dimora, Parco e Azienda Agraria Bianchi Bandinelli, Villa di Geggiano, 53010 Castelnuovo
Berardenga (Si)
Visite guidate su appuntamento, per un minimo di 8 persone.
0577.356879
www.villadigeggiano.com

VILLA MEDICEA O VILLA "AMBRA"
P. 181

Piazza De' Medici 14, 59016 Poggio a Caiano (Po)
Aperto tutti i giorni, eccetto il secondo e il terzo lunedì del mese, Capodanno, 1° maggio e
Natale, dalle 8.15 alle 19.30. Ingresso libero.
055.877012
www.comune.poggio-a-caiano.po.it

VILLA PISANI
PP. 187-188

Museo Nazionale di Villa Pisani, Via Doge
Pisani 7, 30039 Stra (Ve)
Aperto tutti i giorni, eccetto i lunedì non
festivi, 1° Maggio, Natale e Capodanno.
Il labirinto è aperto da aprile a settembre,
dalle 9 alle 13.30 e dalle 14.15 alle 19.15.
049.502074
www.villapisani.beniculturali.it

VILLA SCIARRA
P. 117

Ingressi: Via Calandrelli, Via Dandolo,
Via delle Mura Gianicolensi, 00153 Roma
Parco pubblico aperto tutti i giorni dalle 7
al tramonto.
www.sovraintendenzaroma.it

VIVAIO BAMBÙ
P. 33

Via Dosso di Mattina 12, 26010 Credera
Rubbiano (Cr)
Aperto i giorni, eccetto domenica, ma
solo su appuntamento. Fattoria didattica
e laboratori. Vendita per corrispondenza.
0373.615070
www.vivaibambu.com

VIVAIO BORRINI
P. 215

Villa Borrini, Via comunale Capo Di Vico
117, 55012 Sant'Andrea di Compito (Lu)
Apertura al pubblico l'ultima settimana
di marzo, in occasione della Festa delle
camelie. Visite solo su appuntamento.
0583.977066

## Vivaio Cascina Bollate

**p. 111**

Cooperativa sociale presso la Casa di reclusione di Bollate, Via Cristina Belgioioso 120, 20157 Milano
Sul sito o per telefono, tutte le informazioni su come entrare e acquistare.
331.2906448 (dalle 14 alle 18)
www.cascinabollate.org

## Vivaio EtaBeta

**p. 34**

Cascina Gualina, Via Occimiano 24, 15030 Conzano Monferrato (Al)
0142.925730
www.etabeta-ninfee.it

## Vivaio La Casina di Lorenzo

**p. 230**

Via delle Capanne 12, 55012 Paganico (Lu)
Vendita per corrispondenza.
0583.936312
www.lacasinadilorenzo.com

## Vivaio Le camelie del Generale

**p. 215**

Via dei fienili 171, 00049 Velletri (Roma)
06.9629069
www.lecameliedelgenerale.it

## Vivaio Paoli Borgioli

**p. 152**

Via di Scandicci 265, 50153 Firenze
Informazioni per telefono o email. Vendita per corrispondenza.
055.715885
www.pbortensie.com

## Vivaio Rose Barni

**p. 268**

Via del Casello 5, 51100 Pistoia
Aperto tutti i giorni, eccetto la domenica (e i sabati di luglio e agosto), dalle 8.30 alle 12 e dalle 14.30 alle 17.30. Vendita per corrispondenza.
0573.380464
www.rosebarni.it

## Vivaio Tropicamente

**p. 87**

Via Perrero 17/4, 10070 San Francesco al Campo (To)
Visite e acquisti solo su appuntamento. Vendita per corrispondenza.
340.1145953
www.tropicamente.it

## Zabar's (Usa)

**p. 298**

2245 Broadway (80th Street), New York, NY 10024
Aperto tutti i giorni.
www.zabars.com

## Zentrum Paul Klee

**(Svizzera), p. 144**

Monument im Fruchtland 3, 3006 Bern
Aperto tutti i giorni, eccetto lunedì, dalle 10 alle 17.
0041 (0)313590101
www.paulkleezentrum.ch

# SOMMARIO

# IN COPERTINA

\* \* \* \* \*

1 Fletcher Christian (Marlon Brando); 2 Vandana Shiva; 3 Aung San Suu Kyi; 4 Donna al palco dell'Opera di Renoir; 5 Marie Antoinette; 6 George Harrison; 7 Derek Jarman; 8 Emily Dickinson; 9 Chance il giardiniere (Peter Sellers); 10 Fryderyk Chopin; 11 Edward mani di forbice (Johnny Depp); 12 Frida Kahlo; 13 Claude Monet; 14 Lakshmi; 15 The Dreaming Girl.

* * *

* * *

*Appunti giardinieri*

\* \* \*

* * *

*Finito di stampare nel mese di maggio 2011*

*presso Errestampa S.r.l. – Orio al Serio (BG)*

*Printed in Italy*